データブック
食料

西川 潤

岩波ブックレット No. 737

はじめに

通常、人間が主食としている穀物価格は、需要が安定しているために、天候による影響を除けば、そう大きな変動は起こらない。

ところが、二〇〇六年から二〇〇八年にかけて、世界の主要穀物の価格が騰貴した(**図1**)。シカゴの商品取引所での期近価格は二〇〇六年の半ばから二〇〇八年三月にかけて小麦は一ブッシェル約三ドルから九ドルへ、大豆は同じく五・七ドルから一二ドルへ、トウモロコシは遅れて二〇〇七年秋口の三・五ドルから五ドルへ、それぞれ上昇した。

そのため、ベトナムは二〇〇七年七月から米の新規輸出を禁止し、インドは一〇月から米、小麦の輸出を禁止した。ロシアや中国も小麦、大豆等の輸出に税金をかけるなど規制する方向をうち出した。二〇〇七年秋にはメキシコで、主食のトルティージャ(トウモロコシが原料)価格の高騰にたいする抗議行動が起き、翌二〇〇八年八月にはカリブ海の島国ハイチで食料(米、豆)価格高騰から暴動が起き、首相が辞任するに至った。インドネシアでは大豆、フィリピン、コートジボワールでは米、エジプト、イエメンでは小麦の価格上昇に住民の抗議行動が相次いだ。

いったい世界の食料事情に何が起こっているのだろうか。

今日、わたしたち日本人は世界から、穀物を始めありとあらゆる食料を輸入して、史上空前の「飽食」生活を営んでいる。野菜や果実、食肉、乳製品、総菜まで、わたしたちの食生活は輸入物資に支えられているが、同時に、この食生活は牛のＢＳＥ(牛海綿状脳症)、鳥インフルエンザ、

図１　穀物の国際価格の推移

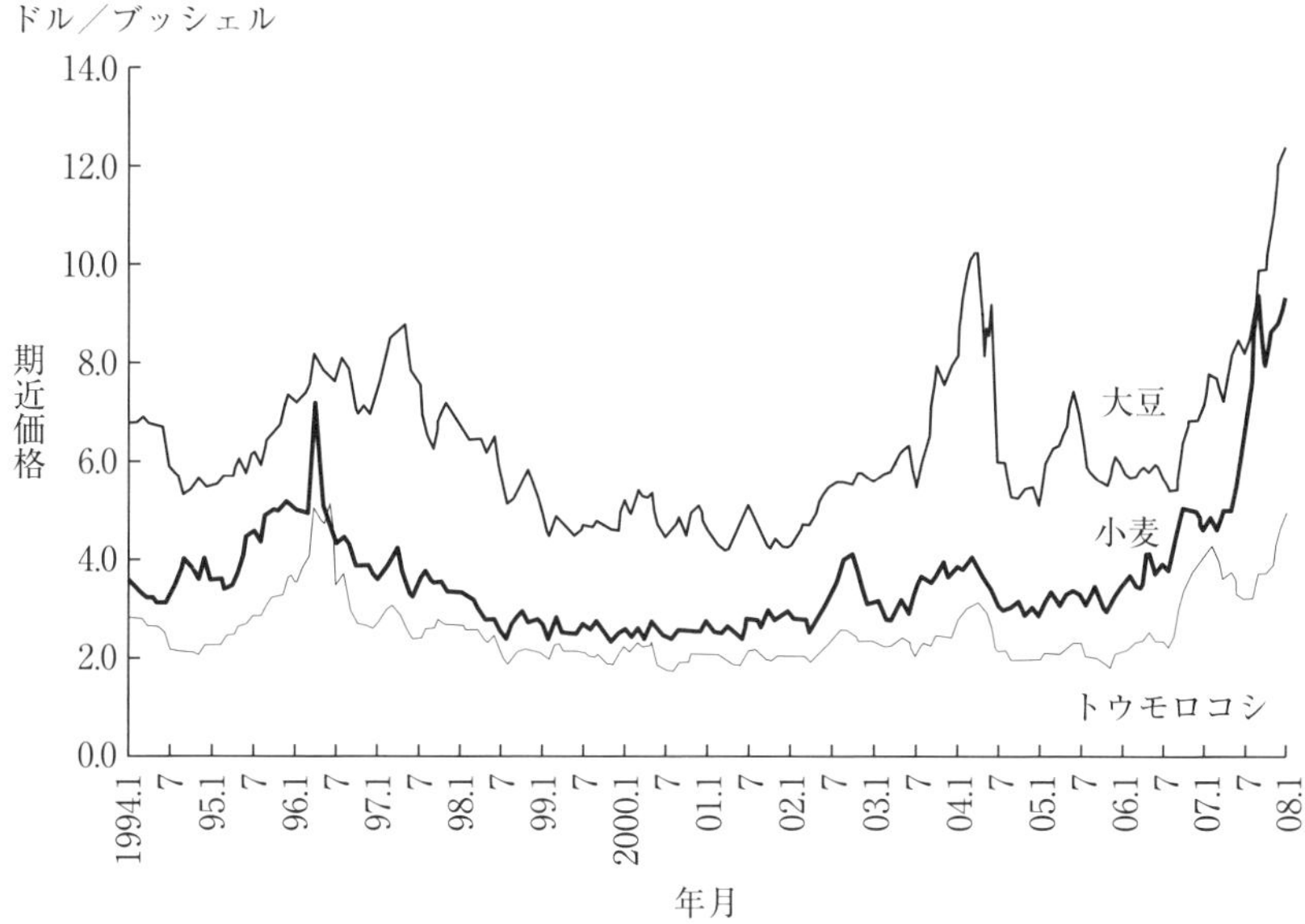

（資料）　ロイター・ES＝時事.
（注）　シカゴ商品取引所における 2008 年 1 月までの毎月最終週末の期近価格である.
（出所）　農林水産省 HP「食料自給率の部屋」より.

はては有機リン剤入り餃子にいたるまで、不安に満ちたものになっている。世界の食料事情の変動は、このような食生活にどのような影響をもつのだろうか。実際、二〇〇八年四月から、日本でも政府の小麦ひき渡し価格は三〇％ひき上げられ、パンや乳酪製品等の小売価格も上がったのである。

日本など先進国の生活が輸入食料にあぐらをかいていた反面、世界では飢えが進行している。人類の一〇人に一人以上が飢えた状態にある。さきに述べた食料暴動は、このような貧困、飢えた人口の増大の表現でもある。

飢えの増大は、世界的な気候変動、生態系の悪化とも関連している。地球の温暖化は悪化する傾向にあり、そこから近年、旱《かん》ばつ、熱波、砂漠化、水不足、洪水などの天災も頻発するようになった。同時に、食料の供給も今日著しく不安定化している。二〇〇六年頃からオーストラリアを見舞った大旱ばつは、経済成長、輸出優先の自由党政権から環境保護をうち出した労働党への政権交代を導いた。そして、グローバル化した世界では、いったん地球のどこかで天災が起きれば、それは、他の地域の飢えた人びとにも、容易に打撃を与えるのである。供給が不安定化する一方で、需要のほうは著しく伸びている。

まず、独立後の工業化ラッシュの中で所得を大きく伸ばしたアジアの人口が肉を食べるようになり、中国、インド等の人口大国を始めとして食肉需要が増大している(四半世紀前には日本、ソ連圏の食肉需要が穀物需要を伸ばした)。それだけでなく、南の途上国の中の中所得国、富裕層も肉を食べるようになり、穀物需要を伸ばしている。

次に、世界的な工業化によって導かれた原油価格の上昇と共に、アメリカやブラジル等の穀物生産国で、石油燃料から、トウモロコシ、大豆、砂糖キビを原料とするエタノール等のバイオ燃料へと転換する動きが始まり、燃料むけの穀物需要が著しく伸びている。

さきに述べた供給の不安定要因が働く中で、この二つの構造的な需要上昇がきっかけとなり、世界的にだぶついている流動性が(マネーのだぶつきは南北格差拡大の表現)、投機的に資源、穀物分野に流入した。このようにして、二〇〇六〜〇八年の食料価格騰貴がもたらされたのである。

こうした世界的な食料情勢の大きな変動の中で、日本の食料政策はどのような位置にあるのだろうか。

日本では、「農業基本法」下の保護農政が三〇年間続き、高度成長期の工業化を支えた。その後、一九九二年に「新しい食料・農業・農村政策の方向」が発表され、開放体制下の農業・農村再編の方向が示された。一九九八年にはこれを具体化し、構造改革を進める「新しい食料・農業・農村計画」がうち出され、翌九九年に「食料・農業・農村基本法」（新農業法）が公布された。しかし、これらは開放体制、自由化時代の農村・農業再編、そのための市場指向型構造改革を進めるものでこそあれ、いま述べたような世界的な食料事情の変化を踏まえたものではない。

本書では、二一世紀における世界の食料事情がどのようなものかについて、主要国際機関の研究成果を整理しながら、むこう十数年間の中期的なシナリオを考えることにしよう。

それから、先進国、途上国の双方で、食料生産がそれぞれ現在どのような状態にあり、いかなる問題が現れているかを考えることにする。

世界の食料生産・加工・流通はかなりの程度、多国籍企業やアグリビジネス、巨大商社により動かされている。これら多国籍アグリ・食品ビジネスの食料経済支配の程度がグローバリゼーションの下でだんだん強まっているが、このようなわたしたちの食生活の商品化、食料の工業的生産・大量流通、そして寡占化が何を意味するか、を次にみておこう。

その後で、日本農業の現状と農業政策変化の方向を検討し、最後に、世界の食料問題とわたしたちの食生活との関連を眺めることにしたい。

第1章　激変する世界の食料事情

今日(二〇〇四年)、全世界で、約一四億ヘクタール(ha)の耕地で、約二三億トンの穀物が生産され、六四億人の人口を養っている(**表1**)。一四億haのうち、穀物栽培面積は半分の七・五億haで、あとはジャガイモなど根菜類、野菜類、果実、砂糖きび・コーヒー・ココア・茶・綿花など商品作物が栽培されている。このほか年産二億トンの食肉、約六億トンの乳・乳酪品、約一億トンの魚介類が、人類の生存を支えている。

したがって、二一世紀の食料展望を得るためには、一つには穀物栽培面積の拡充がどれだけ可能か、他方では穀物生産性がどの程度向上し得るかを考えなければならない。

地球の氷におおわれていない陸地一三〇億ha中、牧草地は三四億、森林が三八億、その他の土地が四四億、前述の耕地が一四億haというように利用されている。しかし、水の入手可能性などから可耕地とみなされるのは、せいぜい二四億ha程度である。その約六割がすでに耕されており、耕地が大きく拡大する見通しは少ない。

先進国では農業生産の上昇は、耕地面積の拡大よりは、農業生産性の上昇によって支えられてきた。アメリカの農地は一九二〇年代以降約一〇億エーカー(約四億ha)でほとんど変わらないが、穀物生産性は二倍以上にふえている。

表1　世界の地域別土地利用，穀物生産，人口(2004年)

	土地利用(100万ha) 総土地	耕地	灌漑面積 100万ha	耕地中の%	穀物生産(100万t)	人口(100万人)	1人当たり穀物生産※(kg)
サハラ以南アフリカ	2329	162	7	4	89	696	127
ラテンアメリカ・カリブ海	2017	142	19	13	160	519	308
中東・北アフリカ	1192	62	21	34	93	352	264
南アジア		193	80	41	311	1416	220
インド		161	56	35	232	1081	215
東アジア		208	74	36	507	1839	275(199)
中国		137	55	40	413	1321	313
その他	89	15	7	48	45	144	300
途上国 計	7587	956	208	27	1305	5090	256
ヨーロッパ	472	75	13	17	231	393	588
北アメリカ	1839	222	23	10	442	329	1344
大洋州	789	52	3	6	32	24	1333
日本・南アフリカ共和国	162	19	4	21	24	173	139
先進工業国　計	3262	368	43	12	730	919	794
移行経済国	2227	247	26	11	235	369	637
世界　計	13076	1397	277	20	2270	6378	356

(出所)　FAO『世界農業予測：2015-2030年』前編，表4.7，4.8及びFAOSTAT(2007).
※　耕地は2000年，灌漑面積は2003年の数字.

問題は途上国だが、この地域では人口増加のはげしい一九七〇年代からの三〇年間に、耕地は七・四億haから九・六億haへと約三〇%伸びた。だが、その耕地の半分は輸出向けの商品作物を栽培しており、残りの半分で一二・七億トン余の穀物を生産している。食料需要の半分は輸入に頼っているが、近年、食肉や一次商品輸出の伸びと共に、牧草地や輸出作物むけ農場との競合が厳しい(**表2**)。

熱帯の閉鎖森林(単位面積の二〇%以上が樹冠におおわれている土地)はこの二世紀間に三五億haから約一七億haへと激減し(最近三〇年間では二五億から一七億haへと減少度が加速化している)、一九七〇〜八〇年代には日本の国土面積の半分に相当する一七〇〇万haが失われている。近年、減少率がやや落ちているものの、それでも一九九〇年代に年平均八〇〇万haが消滅した。

このような熱帯林の消失が気候温暖化、生物多様性の破壊など、地球の生態系を急速に損なっていることは周知の事実である。ここから結果する砂漠化・土壌侵蝕の進展、水資源の供給がきびしくなる見通しなどを考えあわせると、現在途上国で二割強の灌漑《かんがい》地をさらにふやし、生産性を上げていくことはかなりの困難を伴うかもしれない。

世界の各地域別の一人当たり穀物需要量（食用含む全用途）、需要量と生産量のバランス、純貿易量（生産量－需要量）、自給率、一九九七／九九〜二〇一五年間の需要・生産・人口の各増加率予測を**表2**に示した。

一九九〇年代末から二〇一五年の時期にかけて、途上国の一人当たり需要は食用では現在の一七三キログラムでふえず（五人に一人が栄養不足であるという状況はいまと変わらないと仮定されている）、全用途の需要は若干ふえるが（二四七キログラムから二六五キログラムへと八％程度、これは中高所得国〔層〕の食肉需要増加から飼料需要が増大するとみている）、人口増加により全需要量は現在の一一・三億トンから一五・四億トンへと三六％（年一・九％）ふえる。

これは、この間の生産増加率年一・六％ではまかない得ない。なので、穀物輸入（純貿易収支）は現在の一億トンから二倍近くの一・九億トンへとふえることが予測されている。わけても近東・北アフリカ、東アジア、サハラ以南アフリカで穀物輸入量がこの十数年間に二倍程度に増加し、途上国の自給率は現在の九一％から八八％に低下する。かつて農産物輸出国だった南の国々は、この十数年間の間に農産物（穀物）輸入国に転化している。

表2　世界各地域の穀物収支の予測（1997/99〜2015年）

	一人当たり需要量（kg）		全需要量（A）（100万t）		全生産量（B）	純貿易量（B）－（A）	自給率	年増加率（%）（1997/99-2015年）		
	食用	全用途	食用	全用途	（100万t）	（100万t）	（%）	需要	生産	人口
途上国										
1997/99年	173	247	790	1,129	1,026	Δ103	91			
2015年	173	265	1,007	1,544	1,354	Δ190	88	1.9	1.6	1.4
サハラ以南アフリカ										
1997/99年	123	150	71	86	71	Δ15	82			
2015年	131	158	116	139	114	Δ25	82	2.9	2.8	2.6
近東・北アフリカ										
1997/99年	209	352	79	133	83	Δ50	63			
2015年	206	358	107	192	107	Δ85	56	2.2	1.5	1.9
南アジア										
1997/99年	163	182	208	234	239	5	102			
2015年	177	200	295	335	323	Δ12	97	2.1	1.8	1.6
東アジア										
1997/99年	199	290	366	534	507	Δ27	95			
2015年	190	317	404	675	622	Δ53	92	1.4	1.2	0.9
ラテンアメリカ・カリブ海										
1997/99年	132	285	66	142	125	Δ17	88			
2015年	136	326	85	203	188	Δ15	92	2.1	2.4	1.3
OECD諸国										
1997/99年	159	588	142	525	652	127	124			
2015年	158	630	150	600	785	185	131	0.8	1.1	0.4
移行経済国										
1997/99年	173	510	72	211	210	Δ1	100			
2015年	176	596	70	237	247	10	104	0.7	1.0	Δ0.2

（出所）『FAO世界農業予測：2015-2030年』前編，表3.3，表3.4.

いま（二〇〇五年）途上国の穀物生産性は、欧米諸国や日本の一ha当たり四トン（小麦三〜四トン、米五〜六トン、トウモロコシ五〜七トン）にたいして、一ha当たり二・六トン程度（小麦二・五トン、米三・六トン、トウモロコシ二・八トン）で、灌漑地や肥料投入の増加と共に伸びてはいるものの、生産性のレベルは依然として低い。だが、一九七〇〜八〇年代の年三・三〜三・四％という食料生産の伸びは近年低下しており（**表2**では年一・六％）、諸機関の予測は必ずしも楽観的ではない。

　一九七〇年代以降の生産性上昇は主として、一九六〇年代中葉から普及した近代的農法の導入、インフラの整備という〃緑の革命〃に負うところが大きかった。だが、今後も近代的農法が必要とする投入材(肥料、農薬等)は増大していくものの、〝緑の革命〟が一巡した今日、単収(単位面積当たり収量)の増大には、品種改良、灌漑普及など一段の努力が必要である。

もう一つの理由は水の入手可能性の見通しがきびしいことである。農業生産性向上の決め手は水の供給と管理にある。水の供給が十分であれば灌漑地では二毛作、三毛作が可能になるから、それだけでいまの純耕地が二倍、三倍にもなり得る。現在(二〇〇五年)南の世界の灌漑面積は総耕地の二七%に及ぶ二億haだが、これは自然灌漑地を含み、人工灌漑地は一・二億ha(一三%)である。FAO予測は二〇三〇年に後者の面積が三割程度にふえると見込んでいる。そのためにはいまの全世界の灌漑用水量の半分が、あらたに必要となる。東アジア、ラテンアメリカ等では、降雨量をベースとした域内の補給可能な水資源は未だ余裕があるものの、近東・北アフリカ、南アジアでは灌漑拡大の余裕はきびしいとみられている(FAO『世界農業予測:二〇一五〜二〇三〇年』前編)。

また、水は灌漑に用いられるばかりではない。世界の水の三分の二は灌漑用に使われているが、鉱工業(一八%)、人間生活(九%)、畜産(三%)にとっても水は貴重な資源である。しかも途上国の大都市化、工業化、高所得化に伴い、これら三つの用途も今後急速に増大するとみられる。

水は再生可能な循環的資源だが、供給については地域性が強く、また、気候に左右される一時的性格も強い。日本は降水量にも恵まれ、一人当たり水資源量は年間三三三七立方メートルで、河川や湖水も豊富だが、それでも夏場の需要上昇に際しては地域によって渇水や給水制限が生じている。中国は年間二一二七立方メートルで、日本の三分の二の水準だが、水不足や水位低下問題が給水事情を脅かしている。日本では一人当たり年間三二四リットル（二〇〇四年）の生活用水を使用しているが、世界の国の三分の一（五五カ国）では一人当たり五〇リットルの最低必要量さえ満たされていない。

国と国の間、あるいは同じ国の地域間での同一河川の上流・下流における取水争いや、都市の工業用水と農業用水との間の取水争い等が随所でみられる。中国では黄河の上中流での取水が、下流の断流を招いており、また、東部の工業化を進めるため、運河を掘って、西南部の揚子江から水を東部に回している（この事業構想のことを「南水北調」という）。

世界の食料需給構造は供給面でもけっして安定したものではない。食料供給を担う先進国では、熱波や旱ばつ、土壌侵蝕、また石油価格の上昇など農畜産業投入財価格上昇によって、供給の先行きが不透明となっている。

さらに、近年のグローバリゼーション進展の下で起こっている需要構造の大きな変動を次にみることにしよう。

第2章　稀少化する食料、資源――重層化する奪い合い

第二次大戦前は、西ヨーロッパを除いた世界のほとんどが穀物の輸出地域だった。だが今日(二〇〇三／〇五年)では北アメリカ(アメリカとカナダ)が約一億トンの穀物を輸出し(他にEUと大洋州が約四四〇〇万トン)、世界の他地域の不足をまかなっている。もっとも途上国の中でもアルゼンチン、タイは穀物の純輸出国(各二〇〇〇万、八五〇万トン)である。

先進国平均では一人当たり年間七九四キログラム、北アメリカではその二倍近くの一三四四キロ、そして途上国では二五六キロの穀物が生産されているわけだが(7ページの**表1**)、これはすべて人間の一次的食用とされるわけではない。その大きな部分が、家畜を肥育するための飼料穀物として消費される。牛を一キロ肥らせるには約八キロの穀物が必要である。豚の場合には一キロの肥育につき四キロ、卵一キロについては三キロ、ブロイラー(肉用若鶏)では二キロが通常必要となる。もっとも、飼料の食肉への転換効率は、飼育技術によるところも大きい。途上国や移行経済国の場合には転換効率が悪いために、経済成長に伴う食肉需要の高まりから、世界市場からの輸入が急膨張している事情がある。

ふつう一トンの穀物は年間六・七人を扶養する(一人当たり一五〇キログラムで、これは日本の伝統的な計算単位でいえば一石に相当する)。二〇億トンの穀物がとれれば一三〇億人以上が養

える勘定だが、先進国・移行経済国では一九九七／九九年に七・四億トンの穀物中五・二億トン強（七一％）、途上国では同じく一一・三億トン中三・四億トン（三〇％）が主として家畜飼料にむけられた。つまり、世界の穀物生産のほぼ半分が家畜の口に運ばれてきた（**表3**）。

ところが近年、メーズ（飼料用のトウモロコシ）、大豆類からエタノールが生産され、燃料にむけられるようになって、燃料用需要が急増している。もともとは相次ぐ石油ショック後、石油輸入国のブラジルで、バイオ燃料の開発が急がれ、砂糖きびのしぼり滓やトウモロコシからバイオエタノールの生産が始められ、石油との混合燃料（九対一）として実用化された。しかし、九・一一事件以降のアメリカで、中東依存の石油に対する不安、また化石燃料の排ガスが地球温暖化を進めることにたいする懸念もあり、バイオ燃料へと燃料源を転換する政策がうち出された。アメリカの粗粒穀物（裸麦、メーズ、烏麦、砂糖モロコシ等）の年生産量は三億トンだが、二〇〇六年末に一〇六のエタノール精製工場がメーズ五三〇〇万トンを使用し、すでにアメリカのメーズ輸出量と同じだけの量を国内で燃料転換している。アメリカ、ブラジルのエタノール生産量は**図2**にみるように、うなぎ上りの状況で、二〇〇五年で各一五〇〇万キロリットルとなっている。アメリカでは、今後数年間に、さらに三〇〇以上の工場が建設され、一億五

表3　穀物の用途（1997～2015年）　（100万トン）

		食料（％）	飼料その他（％）	計（％）
先進国	1997/99	142(27)	383(73)	525(100)
	2015	150(25)	450(75)	600(100)
移行経済国	1997/99	72(34)	139(66)	211(100)
	2015	70(29)	167(71)	237(100)
途上国	1997/99	790(70)	339(30)	1129(100)
	2015	1007(65)	534(35)	1544(100)
世界	1997/99	1003(54)	861(46)	1864(100)
	2015	1227(52)	1153(48)	2380(100)

（出所）　FAO『世界農業予測：2015-2030年』前編，表3.3より作成．

図２　アメリカ，ブラジルのエタノール生産量

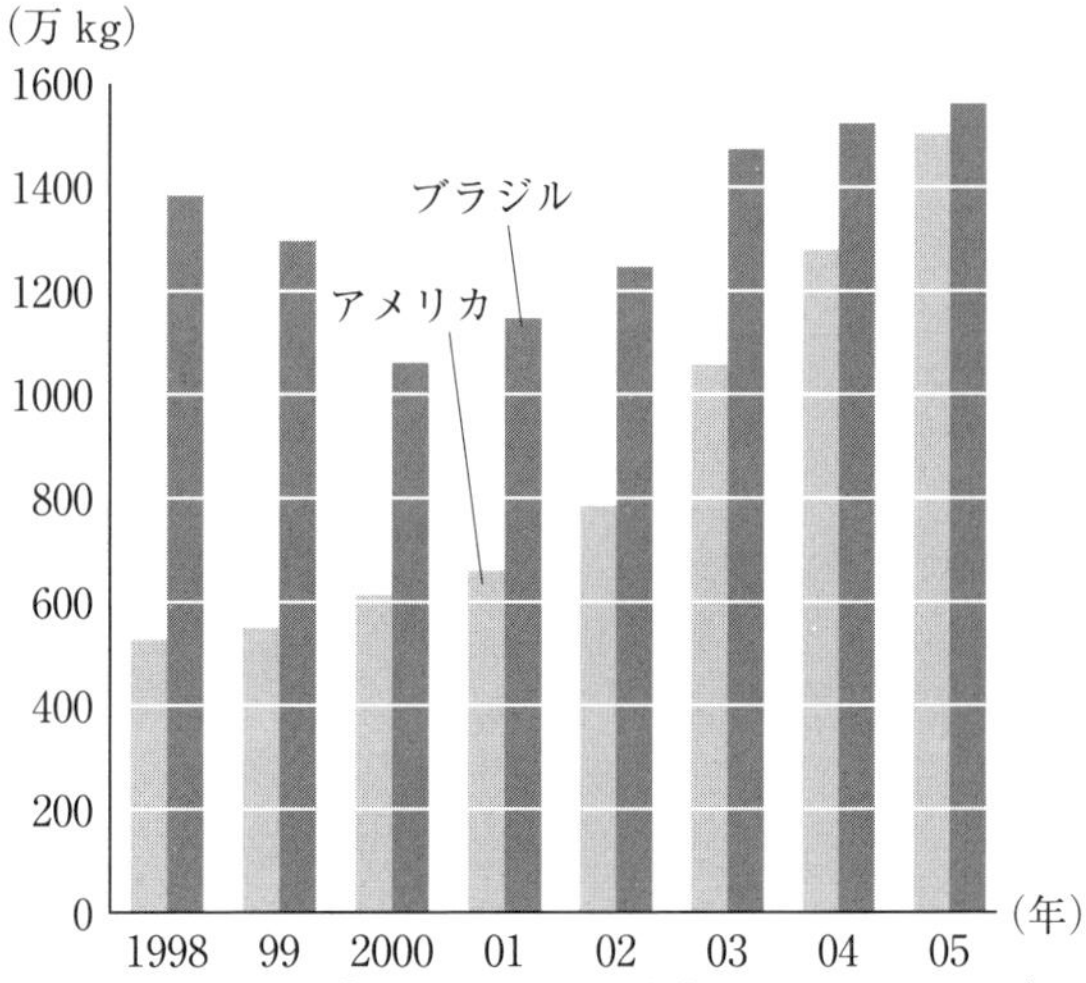

(注)　アメリカは「RFA エタノール産業アウトルック 2006」，ブラジルは「UNICA」のデータによる．
(出所)　「東京新聞」2007 年 3 月 27 日．

○○○万トンの穀物を燃料転換するとしている。二〇一〇年にはアメリカの自動車燃料需要の七%がバイオ転換しているとみられる。

このようなメーズ需要の増大が、食料、飼料穀物の価格をひき上げることになった。

穀物、飼料穀物の輸出において、アメリカは圧倒的な強さをほこっている。二〇〇五年前後で、アメリカの世界輸出に占めるシェアは全穀物で三八%、小麦が二七%、米が一三%、メーズが約五割、大豆が約一割である(アメリカ農務省資料)。まさしくアメリカは「世界のパンかご」であり「給餌機」と呼ばれるにふさわしい。一九五〇年から半世紀余りの間にアメリカ農業の穀物生産は一・四億トンから三・六億トンに伸び、今日ではその二割強(一九五〇年の輸出は一割)が輸出されている。

アメリカ農業の高い生産性にはいくつかの原因が考えられる。その第一は、この四〇年間に農家戸数が激減し、一戸当たりの経営規模が拡大したことである(**図3**)。二〇〇〇年現在、約一九一万戸の農家(農業人口四五〇万人で全人口の一・五%)が平均五〇〇エーカー(二〇〇ha)を耕作している。さらにその中でも、平均農地規模以上の大型農家は約二割(三八万戸)で農地の七割を

図3　アメリカの農家戸数と平均規模

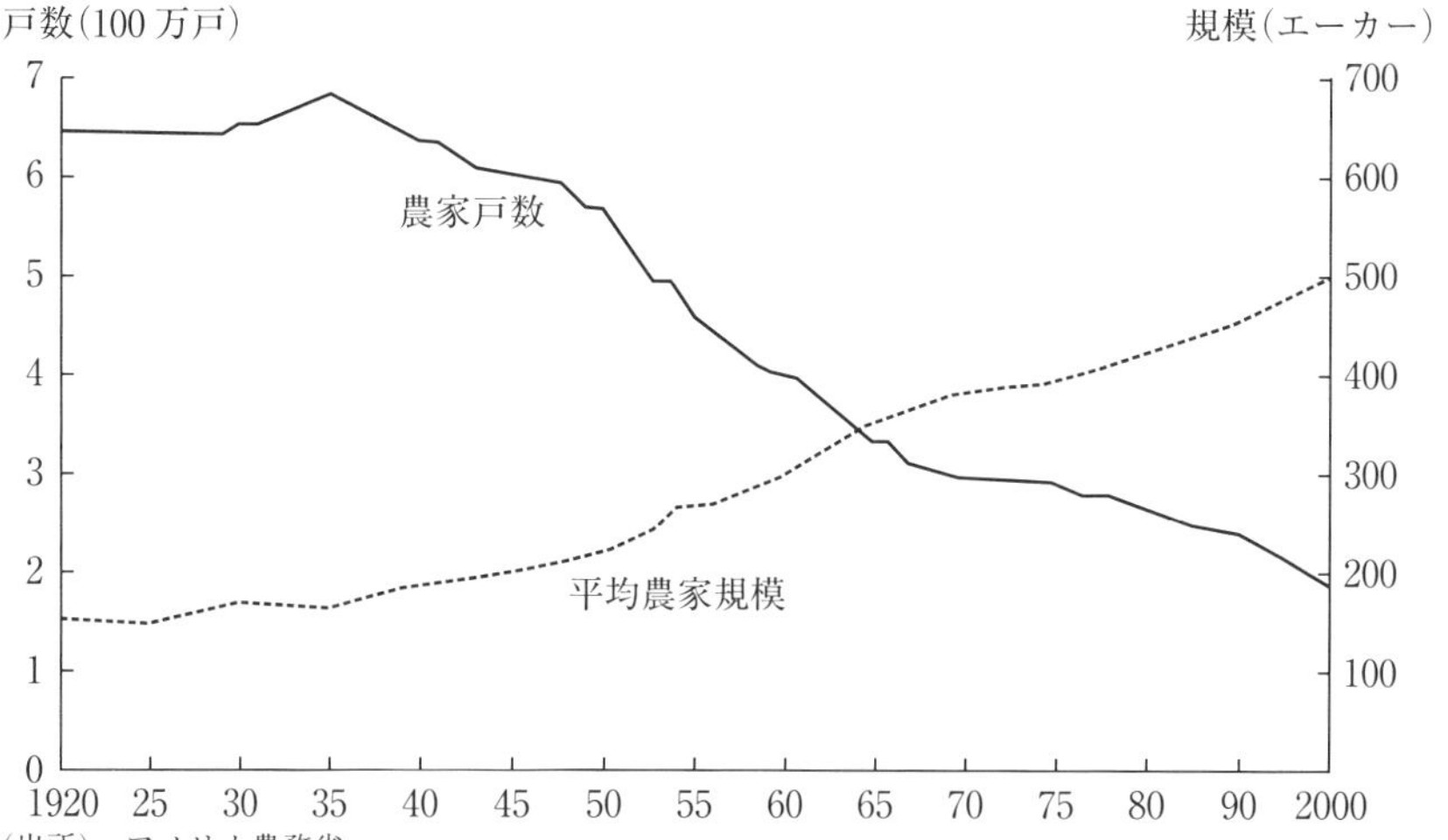

(出所)　アメリカ農務省.

支配し、一〇万ドル以上の年収をあげている。中西部のコーンベルト地帯には、このような大型の家族・企業農場が並んでいる。

第二には、このような経営規模の拡大と共に、農業の機械化、新品種・化学肥料・農薬を中心とした技術革新と農業投資が急速に進んだことである。一九五〇～二〇〇〇年間に、大型トラクター、耕耘機、コンバインなどの導入により、労働生産性は四倍以上にふえ、効率的経営を保障した。同じ期間に、化学肥料・農薬の投入量は六倍以上にふえ、その結果たとえば同じ期間に小麦の収量は一エーカー当たり一六ブッシェルから約三倍の四五ブッシェルへと高まった。

第三に、アメリカ農業の発展は政府の手厚い保護政策により可能になった。この保護政策は、優遇税制、補助金から「小麦戦略」や二国間協定による海外市場の開拓にいたるまで、さまざまな形で、また膨大な費用をかけて行なわれてきたし、いま現在も行なわれている。穀物や綿花に、ついて市場価格が政府の目標価格に満たぬときに支払われる直接援助金(不足払い)もアメリカ農業を支えてきた。

第四に、アメリカ農業は低賃金労働者に恵まれてきた。家族形態の農場でも、農繁期には数十名、数百名の農業労働者を必要とする。現在一六歳以上の農業従事者は約三〇〇万人だが、アメリカ農業は年間をつうじて約二七五万人の短期・長期の労働者を雇用している(西部、南部では不法越境者、年二〇〇万人が農務省統計から洩れており、農業労働力は大幅に過小評価となっている)。その三割強(事実上は六割)が、ラテン系(ほとんどメキシコ人)および黒人であり、彼らの賃金(とくに不法越境者のそれ)は白人の平均賃金よりもはるかに低い。アメリカ農業は市場のみならず、生産面でも南の世界によってがっちりと支えられている。

以上のような諸要因が、アメリカ農業の国際競争力強化に貢献した。だが今日、アメリカ農業は大きな転機に立たされている。その一つの要因は、国際的な食料需給のひっ迫である。アメリカ農業にとって〝余剰〟の時代ははるか以前に過ぎ去り、効果的な対外市場の確保(自由化戦略や国際備蓄政策)が重要視されるようになってきた。国際的には、中国を始め、途上国の穀物需要が大きく増大した(詳しくは次章)。また、穀物の燃料転換という新たな市場が生成してきた。

第二には、食品の流通構造が、大手のスーパーマーケット、食品チェーン、インスタント食品の普及によって大きく変わってきた。流通段階の寡占化が進み、それが農業でも取引相手の農家の大規模化、あるいは一次加工業者化を促進することになる。農家の集中化傾向が強まり、従来アメリカ農業の基幹をなしていた家族農場の企業農場への変貌が進んだ。政府の補助金もこのような大型農場に集中している。中小農場の破産がみられ、一九六九〜二〇〇〇年間に農場数は三〇〇万戸から一九一万戸へと三分の二に減少し、農業人口は九七〇万人から四五〇万人へと半減した。それゆえ、アメリカの家族農業者は大規模農場を利するWTO(世界貿易機関)の場での自由化にはむしろ批判的である。

第三に、輸出指向型農産の急進展は、「植民地型」の単一作物《モノカルチュア》への特化を生み出し、利潤追求型の企業的経営(化学肥料の多投、休閑地の減少等)の進展とあいまって、深刻な土壌侵蝕問題をひき起こした。アメリカ農務省は一九八〇年代以来この問題を認識し、一九八五年の「食料安全保障法」、一九九〇年の「食料、農業、環境保全、貿易法」により、土壌保全の事業にとりかかった。さらに二〇〇二年の「農業法」では、土地保全留保計画の範囲を拡大し、水質・土壌保全に力を入れることがうち出された。しかし、モノカルチュア栽培は表流水や風による侵蝕を導きやすいし、農民高齢化による化学肥料・農薬の多投も憂慮されている。水資源の枯渇も同時に急速に進んでいる。土壌侵蝕を防ぎ、水資源等の環境を保全するためには、輪作体系の確立、営農機械の小型化、有機物の増加、農薬の抑制など、いまのアメリカ農業の方向とは正反対の農法が必要になる。アメリカ農務省の中にもようやく近年、右のような土壌・環境保全の手続きをとる必要、農家集中の抑制と適正農家数の維持、農家間所得格差の是正など、今日までの農業のあり方にかんする反省も現れ、農薬・化学肥料抑制、有機農業・低投入型持続可能農業(Low Input Sustainable Agriculture；ＬＩＳＡ)振興の政策も部分的にはとられ始めた。

だが、二〇〇二年、二〇〇七年農業法は全体としては、農業の市場指向を強め政府の穀物備蓄を下げ、農家の作付柔軟性を高めて、アメリカ農民を世界市場に結びつけていく方向をうち出している。

アメリカの「食料戦略」とは二つの意味をもつ。一つは、世界を相手とするアメリカ輸出農産物の市場をひき続き確保すること。そのために、WTOの場でEUや日本の農産物保護障壁をなくし、「自由化」を進める政策がとられる。アメリカ農産物の輸出市場が確保されれば、それは財政負担の軽減につながり、「強いアメリカ」の再建に役立つ。

第二には、食料の燃料転換を進め、バイオマス燃料の比重を高めて、エネルギー自立を進めることである。この点については前述した。

このアメリカの食料戦略にたいし、EU諸国の考え方にふれておきたい。

EUの共通農業政策は、ヨーロッパ共同体の形成において主要な柱の一つとなっている。実際EUは、予算の三分の二を農業に割き(現在は半分)、今日までに食料の自立を達成している。EU諸国の穀物自給率は一九五〇年代始めの八一%から一九七九/八〇年には一〇一%、そして一九九〇/九一年には一二〇%へと高まり、完全自給の状態となった(**表4**)。とりわけイギリスはかつて五二%だった穀物自給率を、一九九〇年代をつうじて一〇〇%台にひき上げた。二〇〇三/〇五年にEUは二・八億トンの穀物を生産し、中国(三・九億トン)、アメリカ(三・六億トン)、ロシア等CIS(二・三億トン)、インド(二・〇億トン)に次ぐ大穀物生産地域となっている。

同じく二〇〇〇年代初頭にEUは、飼料穀物ではアメリカの五二〇〇万トン、アルゼンチンの一二三〇万トンに次ぎ、九五四万トンを輸出する世界第三位の輸出国となっている。また畜産物

表4　EU諸国の穀物自給率推移(1951/52-2003/04年)　(%)

	1951/52年	1979/80年	1990/91年	2003/04年
フランス	96	173	215	173
ドイツ	73	89	111	101
イタリア	90	71	80	73
オランダ	48	28	31	24
ベルギー・ルクセンブルク	50	50	51	−
イギリス	52	68	119	99
デンマーク	97	108	155	−
アイルランド	−	85	100	−
EU計	81※1	101※1	120※2	−

(出所)　EC, *The Agricultural Situation in the Community. 1982 and 1992 Reports*. 2003/04については農林水産省.
※1　1990/91年までは西ドイツ.
※2　1979/80年までは9カ国合計，1990/91年は12カ国合計.

では食肉、乳・乳酪品共世界一位の座を占めている(二位はアメリカ、三位がオーストラリア)。EU主要国穀物の平均単収は一ha当たり五~六トンでアメリカのそれ(四・八トン)より高く、とくに小麦の生産性はアメリカの二倍に及ぶ。だが「規模の経済」で劣るために、穀物の生産費はアメリカより二割程度高くなる。そのため、一つには域内では農産物価格にたいする保障措置(農産物価格が指標価格を下回ったとき、EU機関が介入して買入れ、市場価格を支える)、第二には、域外の安価な穀物にたいして国境価格との差を課徴する輸入課徴金、第三には、輸出補助金(域内価格と国際市場価格との差を補助する)、という三つの柱によって農業を手厚く保護してきた。

その結果、食料自立は達成した反面、農畜産物の過剰問題、財政問題が深刻化してきた。したがってEUは近年では、従来の価格支持、直接支払いを主体とした農業政策を維持しつつも、二〇〇三年の共通農業政策(CAP)改革で、構造改善・近代化による生産費ひき下げ、地域農業振興(条件不利地域対策、農業環境助成、多角化融資助成など)により、財政負担を軽減するような構造政策を重視すると共に、ロシア、中東、アジア等の食料市場でアメリカと競う新興輸出大国として出現しつつある。

WTOの場での農産物自由化でも、市場拡大をまずめざすアメリカと、環境産業としての農業の位置づけを重視するEUとの間で対立がみられた。アメリカとEUの農業交渉でも、EUの農業直接所得補償は維持され、輸出補助金は段階的に縮小されるが、反面、「緑の箱」とよばれる、環境上の理由によって保護削減を免除する諸措置は維持された。EUの農業政策は、もともと農業の強いフランスの意向を反映した面があるが、とくにEU統合の過程で、いくつかの合意が確立してきたように見受けられる。

その第一は、米ソのはざまにあって(大西洋とウラルの間で)、超大国の影響から自由な地域自立とヨーロッパの個性の保持のためには、農業と食料自給が根幹となる、との認識である。地味・気候のすぐれたヨーロッパの食料自給は、安全保障のために必要なことであるし、またそれが同時に世界の食料事情の緩和と平和の実現に役立つとの見方は、ヨーロッパの指導層のあいだに定着している、とみてよい。

第二には、ヨーロッパ域内の社会的安定の問題がある。共通農業政策は農工間の所得格差の是正をめざして推進されてきた。そのためEU当局は毎年莫大な農業予算を計上している(二〇〇三年でEU総予算の四八%)。とりわけ富農が共通農業政策の恩恵をこうむった面はあるにせよ、この政策のねらいは達成されてきた、といってよい。農業・農民の保護は、ドイツの経済学者フリードリヒ・リスト以来の農工商の均衡的発展を国民経済の要件とみなす考え方、また、自然環境や景観の人間社会に占める役割を重視するヨーロッパの伝統的思考などに支えられている面もあるだろう。

第三に、この環境・景観問題への関心は近年ますます高まってきた。ヨーロッパ農業は主として畑地農業だが、近年農薬・化学肥料の過剰投入傾向が強まり、窒素・燐酸等による地下水汚染の問題がクローズアップされてきた。北西部畜産地帯では家畜排泄物による水資源汚染問題も大きい。他方で、湿地を中心とした自然がこわされ、動植物の種が減少していること、生垣・草地等がなくなり、自然景観が破壊されていることも憂慮されるようになった。そのため、スウェーデン、ドイツ等では農薬使用が制限され、また、ＥＵ全体として国土面積の四％を上限として、「環境保護地域」を設定し、そこでの環境保全を重視する農業者に補助金を支出している。

今日、先進国間では農業の国民経済に占める位置付けがだんだん明確になってきているといえよう。

第一に食料は、自らの生存と不可分の政治的問題としてとらえられるようになっている。

第二に、その中で農業の市場指向化は政府の地盤沈下と裏腹の現象として強まっているが、それだけに各国、地域ごとの個性をもった農業経営が課題となってきている。

第三に、農業を環境・景観保全に不可欠の産業として位置付ける考え方が広まってきている。ＯＥＣＤ（経済協力開発機構）諸国でも共通して環境・生態系を重視する「持続可能な農業」を促進する政策志向が生まれてきており、日本にとっても学ぶべき点が多いだろう。

第3章　南の世界――飢えの現代化

現在、途上国では一人当たり年間二五六キログラムの穀物を生産し、平均二六八一キロカロリーの熱量を供給している。だが、これはあくまでも平均の話で、アフリカや開発の遅れたLDC(Least Developed Countries)では二〇〇〇～二一〇〇キロカロリー程度の供給にとどまることを考えると、消費量は二割程度目減りするので、必要栄養量を多くの人が摂取できない状況がみえてくる。

また、現在、南の世界の農業、農村ではいくつかの大きな変化が進行している。第一には、アジアのいくつかの国の高成長によって、食肉需要が増大し、途上国の世界市場にたいする食料依存度、世界市場からの穀物輸入が著しく増加した。

表5は世界の小麦貿易の推移を予測しているが、世界全体での輸入量は現在(二〇〇三～〇五年)一億七〇〇〇万トンから二〇一五年に一億二七六〇万トンへと一九%ふえるが、途上国輸入はこれを上回る二三%増加することが見越される。とくにアフリカ、アジアの輸入の伸びが大きい。

粗粒穀物では、世界全体の伸びは同じ期間に一億五〇〇〇万トンから一億二二五〇万トンへと、一七%の伸びを示すが、途上国全体では二四%伸びる(**表6**)。

米の輸入も同じ期間に世界で一九%伸びるが、そのほとんどは途上国(アフリカ、アジア)での

表 5　小麦貿易(2003/05-2015 年)　(100 万トン)

	生産		輸入		輸出		輸出入差	
	2003-05 年平均	2015 年	2003-05 年平均	2015 年	2003-05 年平均	2015 年	2003-05 年平均	2015 年
世界	601.3	698.3	107.7	127.6	108.1	127.8	0.4	0.2
北アメリカ	85.3	88.4	2.0	3.2	45.1	44.3	43.1	41.1
西ヨーロッパ	121.9	135.9	7.3	7.0	11.5	15.9	4.2	8.9
CIS※1	79.6	105.5	5.4	5.0	15.6	25.0	10.2	20.0
大洋州	23.8	29.0	0.3	0.4	16.2	22.2	15.9	21.8
日本	0.9	0.9	5.5	5.4	−	−	Δ5.5	Δ5.4
途上国	275.7	320.1	84.1	103.8	18.6	17.7	Δ65.5	Δ86.1
アフリカ	19.1	22.3	28.2	35.6	0.5	0.5	Δ27.7	Δ35.1
ラテンアメリカ・カリブ海	26.1	30.5	18.3	21.9	10.1	11.9	8.2	Δ10.0
アルゼンチン	15.0	17.4	−	−	8.7	10.9	8.7	10.9
アジア大洋州	230.5	266.1	37.6	46.2	8.1	5.4	Δ29.5	Δ40.8
中国	91.2	95.6	4.4	4.8	1.7	0.6	Δ2.7	Δ4.2
インド	69.9	89.2	0.4	1.3	2.7	1.3	2.3	−
トルコ	20.0	23.4	0.8	1.0	1.4	0.3	0.6	Δ0.7
LDC※2	8.9	13.3	11.0	13.8	0.2	0.2	Δ10.8	Δ13.6

(出所)　OECD-FAO, *Agricultural Outlook 2006-2015*, Annex Table A 6.

※1　独立国家共同体(Commonwealth of Independent States). 旧ソ連のうち, ロシア, ウクライナ等 11 カ国 (トルクメニスタンは準加盟) から成る連合体.

※2　最も開発の遅れた国. 2007 年現在, 国連は 1 人当たり国民所得 750 ドル未満, 人口 7500 万人以下等の基準を設け, 50 カ国を指定している.

表 6　粗粒穀物貿易(2003/05-2015 年)　(100 万トン)

	生産		輸入		輸出		輸出入差	
	2003-05 年平均	2015 年	2003-05 年平均	2015 年	2003-05 年平均	2015 年	2003-05 年平均	2015 年
世界	975.8	1137.7	105.0	122.5	110.8	124.0	5.8	1.5
北アメリカ	324.0	372.7	4.2	6.6	50.8	61.4	46.6	54.8
西ヨーロッパ	136.4	146.4	5.2	3.9	9.5	8.9	4.3	5.0
CIS	59.0	61.7	1.4	1.4	7.1	8.8	5.7	7.4
大洋州	13.5	15.0	−	−	6.2	7.5	6.2	7.5
日本	0.2	0.2	20.7	19.5	−	−	Δ20.7	Δ19.5
南アフリカ共和国	11.1	13.7	−	−	1.3	2.3	1.3	2.3
途上国	406.1	497.6	72.5	90.2	27.5	29.6	Δ45.0	Δ60.6
アフリカ	77.2	96.7	14.9	19.9	2.2	3.3	Δ12.7	Δ16.6
ラテンアメリカ・カリブ海	109.3	129.9	19.4	23.2	16.7	21.2	Δ2.7	Δ2.0
アルゼンチン	21.3	29.9	−	−	12.3	17.3	12.3	17.3
ブラジル	44.5	50.1	0.7	0.7	3.4	2.4	2.7	1.7
アジア大洋州	219.7	271.0	38.2	47.1	8.6	5.1	Δ29.6	Δ42.0
LDC	45.5	57.6	2.9	4.3	2.1	2.8	Δ0.8	Δ1.5

(出所)　OECD-FAO, *Agricultural Outlook 2006-2015*, Annex Table A 7.

表7　米貿易(2003/05-2015年)　(100万トン)

	生産		輸入		輸出		輸出入差	
	2003-05年平均	2015年	2003-05年平均	2015年	2003-05年平均	2015年	2003-05年平均	2015年
世界	409.2	409.3	28.0	33.4	26.8	34.5	Δ1.2	1.1
北アメリカ	6.9	8.3	0.7	0.8	3.5	4.1	2.8	3.3
西ヨーロッパ	1.8	1.7	1.1	1.4	0.2	0.3	Δ0.9	Δ1.1
CIS	0.8	1.0	0.6	0.7	−	−	Δ0.6	Δ0.7
大洋州	0.5	1.0	0.1	0.1	0.2	0.6	0.1	0.5
日本	7.7	7.3	0.8	0.7	0.2	0.2	Δ0.6	Δ0.5
途上国	391.4	470.9	23.6	28.3	22.6	29.3	Δ1.0	1.0
アフリカ	12.8	18.9	7.7	10.1	0.9	1.2	Δ6.8	Δ8.9
ラテンアメリカ・カリブ海	16.7	20.7	3.6	4.2	1.4	2.3	Δ2.2	Δ1.9
アジア大洋州	361.9	431.3	12.3	14.0	20.3	25.8	8.0	11.8
中国	121.7	140.6	0.7	0.9	0.7	0.5	−	Δ0.4
インド	86.9	103.7	−	−	3.6	3.6	3.6	3.6
パキスタン	4.9	6.0	−	−	2.4	3.0	2.4	3.0
タイ	19.4	21.6	−	−	8.6	11.4	8.6	11.4
ベトナム	23.7	27.0	−	−	4.4	5.6	4.4	5.6
LDC	54.4	76.0	5.9	7.9	0.3	1.9	Δ5.6	Δ6.0

(出所)　OECD-FAO, *Agricultural Outlook 2006-2015*, Annex Table A 7.

伸び(二〇%)である(**表7**)。

こうした穀物輸入の伸びは三つの理由にもとづく。

第一は、人口増加である。この期間に、南の世界で一・四%、世界全体では一・二%程度の増加が見込まれている。

第二は、アジア等の高成長国で食肉需要が増加しており、飼料用穀物の輸入がそれに伴いふえていることである。年一・二%の人口増加でも、飼料用穀物需要の増加を考えると、穀物需要は年二%程度となる。**図4**は世界の食肉消費量の推移を示しているが、東アジアの顕著な伸びが、途上国の食肉消費の伸びを支えていることがわかる。

東アジアの食肉消費の伸びは、NIES(Newly Industrializing Economies;新興工業地域、韓国、台湾、香港、メキシコなど)、中国の需要増加が大きい。中国の穀物生産量、消費量、輸出入量の推移を**図5**でみると、近年の消費量に生産量が追いつかず、毎年二五〇〇~三〇〇〇万トンの穀物輸入を導いている事情が

図4　世界における食肉の消費量(1984/86-2015年)

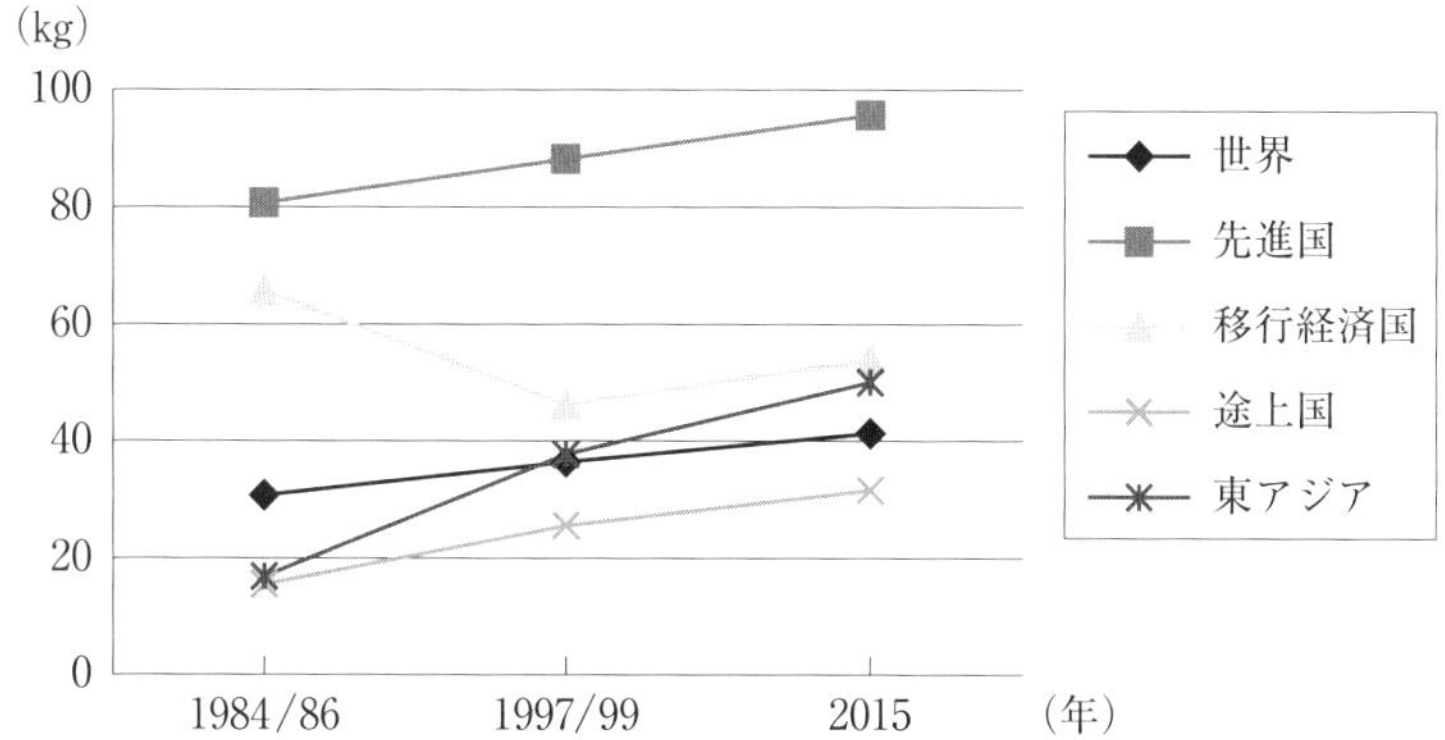

(注)　1人当たり消費量，枝肉換算.
(出所)　FAO『世界農業予測：2015-2030年』前編，330ページ.

理解される。

こうして、途上国の農産物輸出入のバランスは、一九九〇年代に入り赤字化し(**図6**)、小麦、メーズのアルゼンチン、大豆、メーズのブラジル、米のタイを除いて、かつて農産物輸出地域だった南の世界は次第に、農産物(穀物)輸入地域へと変化している。とくにＬＤＣの海外穀物依存は大きい。

問題は、いま途上国の商品輸出で農産物の位置は一割程度に小さくなっているので(ＦＡＯ『世界農業予測』後編)、穀物価格上昇の恩恵を受ける途上国は少ないことだ。かえって輸入食料価格上昇のあおりを受けて、現在すでに広汎に存在する栄養不足、飢えがさらに広がる恐れがある(その兆候が、二〇〇八年六月の世界食料サミットの開催を導いた各地での食料暴動に現れている)。

ここで、本書の冒頭にみた世界の農産物価格の推移を、別の角度からみてみよう。

ＯＥＣＤはＦＡＯと協同して、二〇〇六年に世界の農産物需給、価格の動向にかんするリポートを発表したが

図5　中国の穀物等生産量，消費量，輸出入量の推移（1995-2005年）

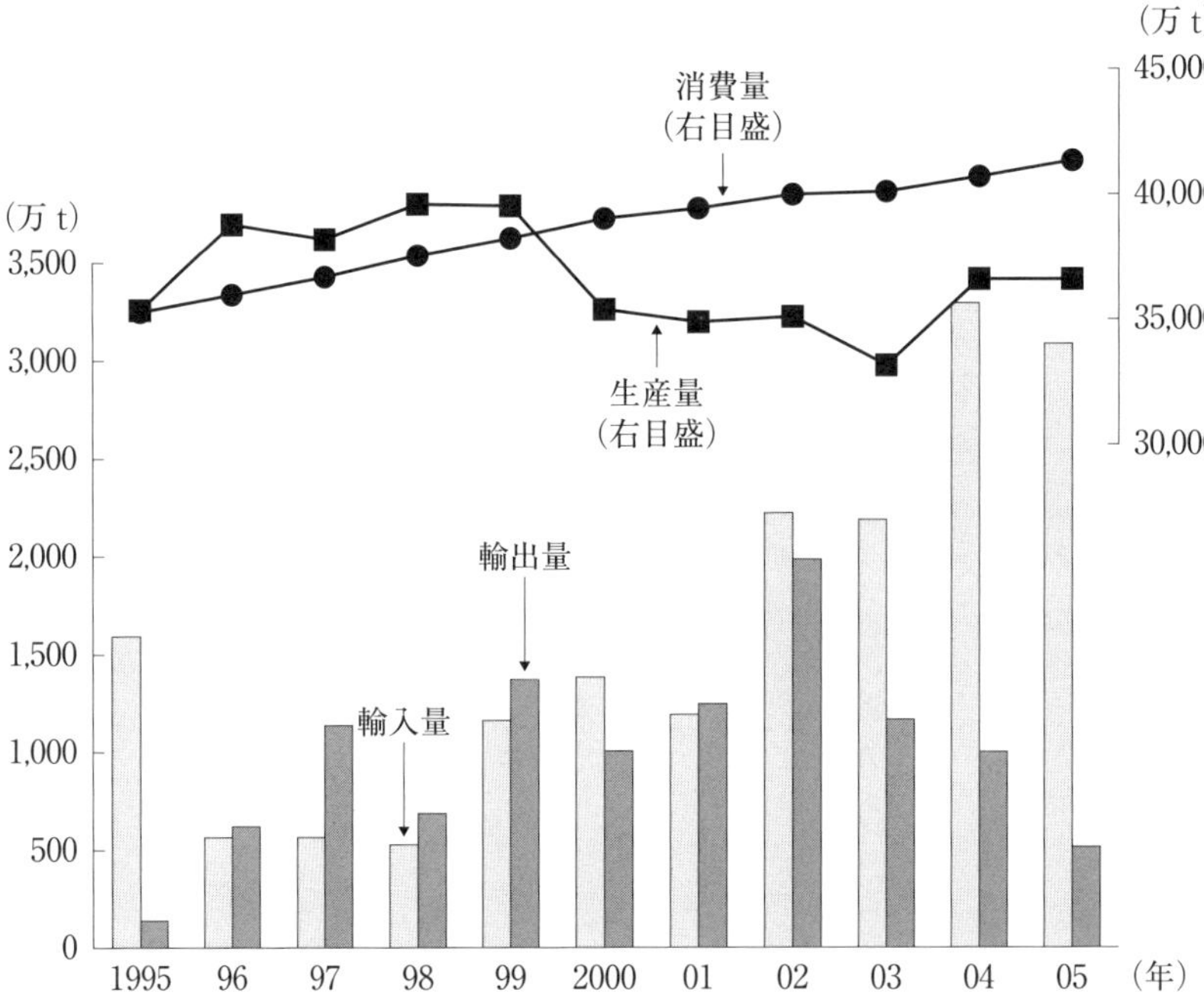

（資料）　アメリカ農務省「Production，Supply & Distribution（PS & D）」．
（注）　穀物等とは，小麦，とうもろこし，米，大豆の合計である．
（出所）　農林水産省『食料・農業・農村白書』平成18年版，図I-43．

（OECD - FAO, *Agricultural Outlook 2006-2015*）、ここで二〇〇五年以降の主要農産物価格は**図7**のように描かれていた。

すなわち、主要穀物と乳酪製品の価格は二〇〇五年に若干上がるが（粗粒穀物は低下）、その後ほぼ現状を維持し、二〇一〇年代に若干上昇する（人口増加率のため）、というものである。

ところが、二〇〇六年から二〇〇八年にかけて、実際はこれらの農畜産物は顕著に値上がりした。これを**図7**では二重線で描いている。

穀物の値上がりは人口増加、

食肉需要増加に加えて、第2章でみた穀物の燃料転換による（ブラジルのメーズ、砂糖キビ、アメリカのメーズ、大豆）。飼料穀物の価格上昇は、前述した原油価格の上昇と共に、畜産物・乳酪製品の価格上昇を導いた。

これら農産物、石油価格の上昇にはもちろん、いままでみてきたような構造的な要因と共に、世界的な過剰流動性（投機資金）が二〇〇八年のアメリカ経済におけるサブプライムローン問題に発するドル不安から、現物、資源に流入したという事情がある。

だが、それを差引いても、農産物、資源（原油）価格上昇に構造的な要因が大きく働いていることとは、**図7**からも理解されるだろう。

図6　途上国における農産物貿易バランス及び農産物輸出

途上国からの農産物純輸出は減ってきている….

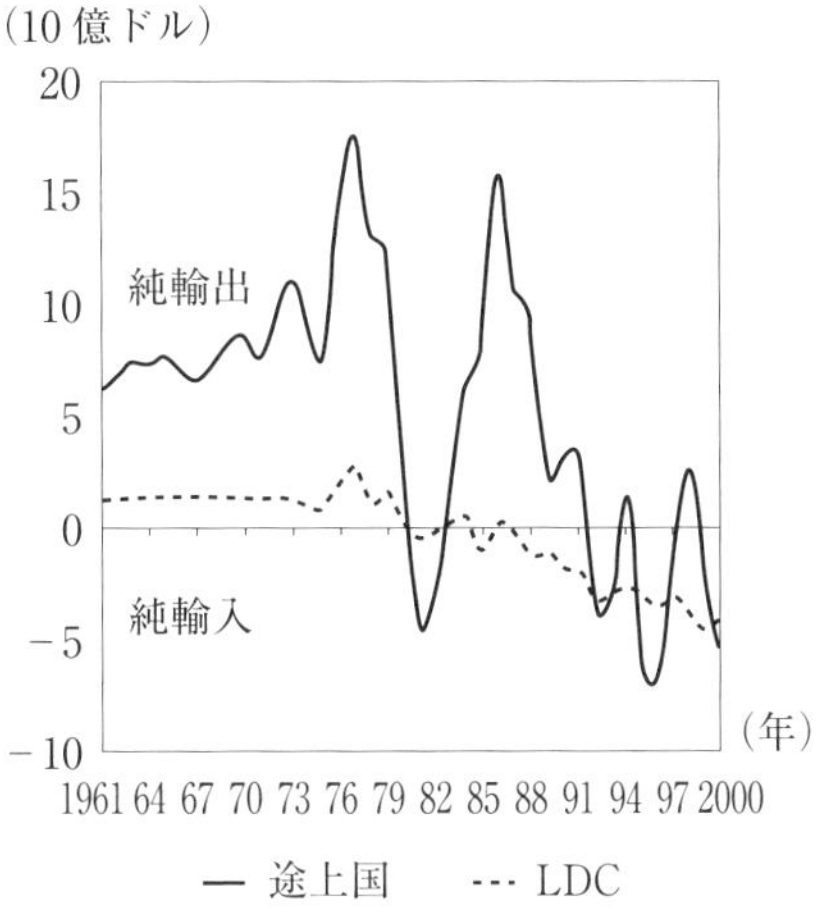

（出所） FAO『世界農業予測：2015-2030年』後編，43ページ.

資源価格の上昇にも、アジアなど途上国の工業化によるエネルギー、資源需要が働いており、それが二〇〇三年以降の戦争景気で加速されたのである。

以上の事情を考えると、農産物価格が今後、もとの水準に戻ることは考えにくく、いまの水準にかなり近い価格、つまり全体としてかなり値上がりしたまま、二〇〇五年にＯＥＣＤが推定したように、二〇一五年にむけて高止まりしていくと

図７　世界の農産物価格推移の予測

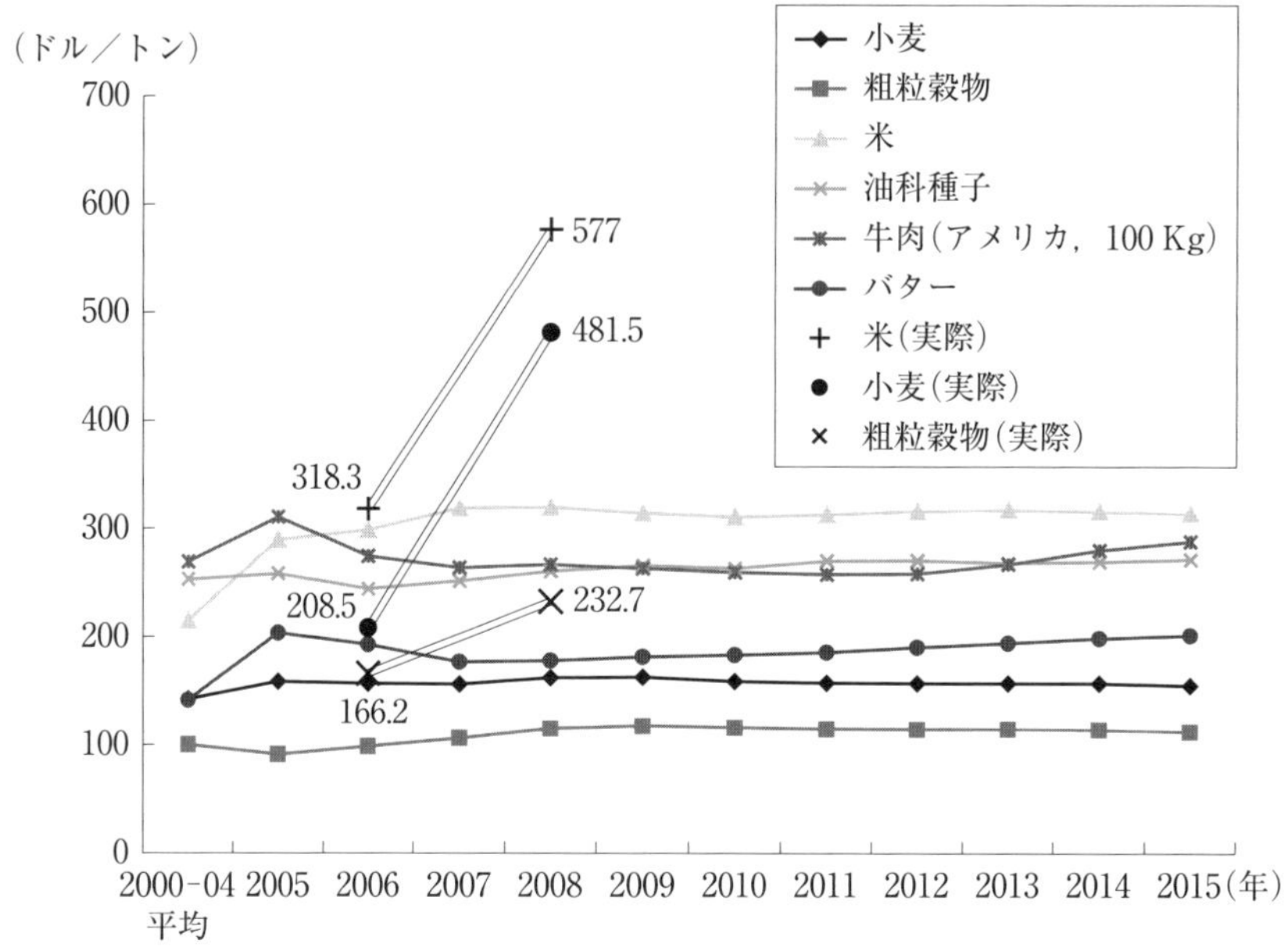

(出所)　OECD-FAO, *Agricultural Outlook 2006-2025*.「実際」の数字は筆者が補った.

考えるのが妥当だろう。

実際、**図８**にみるように、世界的な農産物価格は、一九七〇年代初めから二〇〇〇年代初めにかけてずっと、実質的に下がってきたのであり、それが世界的な工業化を支えてきた。その調整が、需要構造の変動と技術革新により、二〇〇六〜〇八年に働いたといえる。また、この構造変動の中で、供給余力を下げている三つの要因がある。

第一は、世界的に農地が工場用地、道路等にどんどん転用されていったこと、第二には気候変動、地球温暖化により旱ばつ、熱波や虫害といった問題に農業がさらされ易くなったこと、そして第三には最近のアメリカ農業法が示しているように、農地の土壌劣化、水利用の可能性が低下していることがある。

図8　農産物価格の推移(1970-2004年)

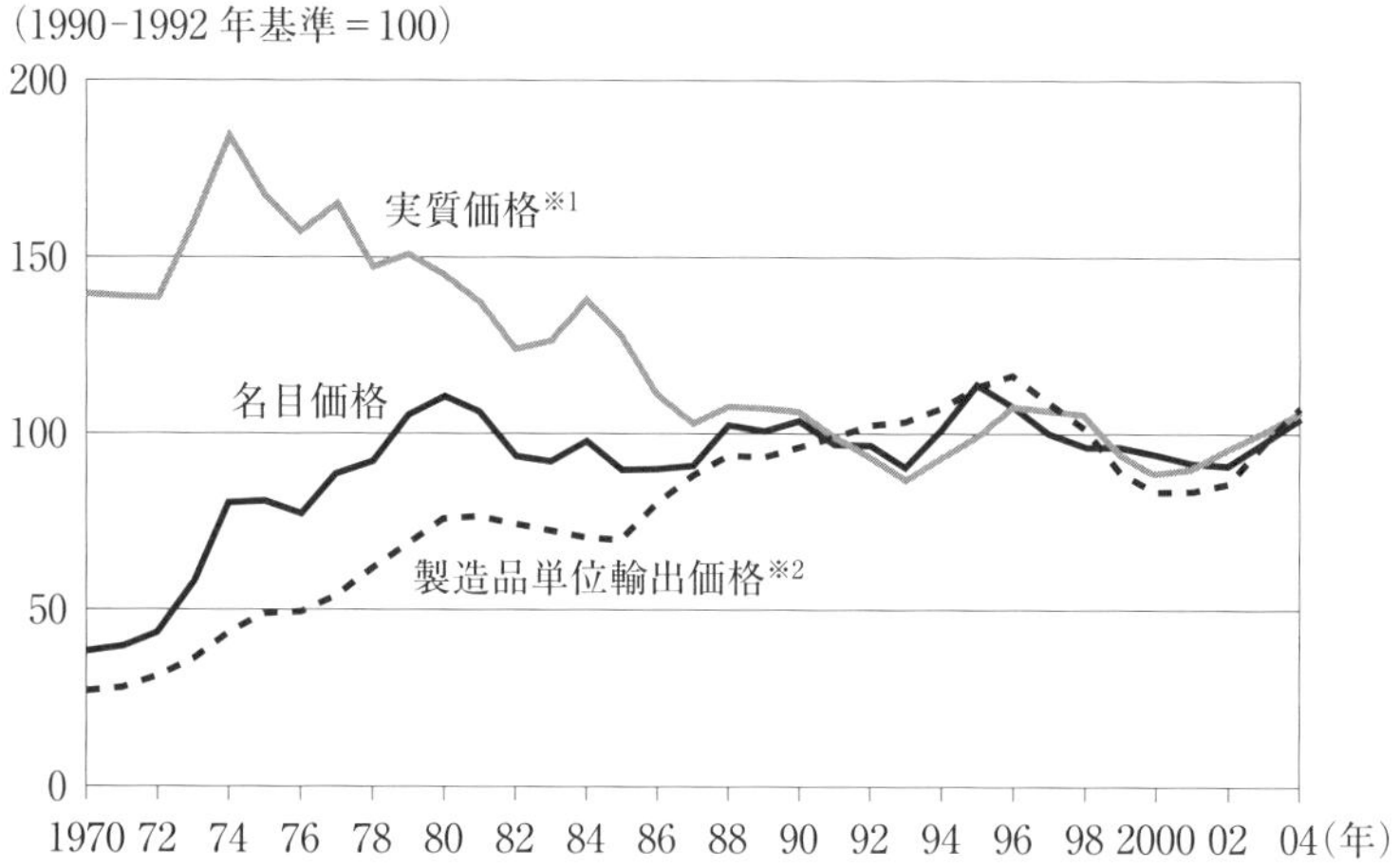

(注)　農産物の実質価格は，1970年代初めから低下してきた．
※1 実質価格は，全輸出商品の輸出単位価格でデフレートした価格．
※2 製造品単位輸出価格は，製造品の輸出単位価格を指す．
(出所)　FAO, *The State of Food and Agriculture 2007*, P. 129.

これらすべての要因により、供給余力が低下傾向にあることも、価格上昇を下支えする原因となっている。

実際、世界の「穀倉」アメリカの穀物在庫率も二〇〇〇年代初めの二五%から二〇〇八年は一五%を下回る「危機」水準まで下がっている。

それゆえ、食料の輸入依存度を高めている途上国、とりわけ低所得国で食料危機が起こる蓋然性はきわめて高い。

穀物の七割を海外に頼る日本にとって、安閑としていられる状況ではないのである。

一九八四年に出版された拙著『食糧――二一世紀の地球』、また一九九四年の『食料〈新版〉』で、筆者は、二一世紀にかけて世界の農業において起こり得る分配の問題について述べた。

一つは食料対輸出作物、第二は富者対貧者、第三は都市対農村である。これらの分配問題はいずれもその後、そこで指摘したような方向に展開した。

今日、途上国では一〇億ヘクタールの耕地で穀物を約一三億トン生産しているが(表1〔7ページ〕)、実際の穀物生産はその半分の五億ヘクタールで行なわれており、残りの五億ヘクタールでは、豆類(大豆・落花生)・根菜・野菜・果実・砂糖キビ類、コーヒー・ココア・茶・綿花・ジュート等繊維作物など、その大半が輸出にむけられる商品作物が栽培されている。その総量は、一〇億トン余である。

途上国の農業は「遅れている」といわれるが、それは食料農業の話で、商品化される熱帯農業の生産性は一般に高い。その多くが一九世紀以降、先住民農業を駆逐して最も肥沃な土地を占拠して発展した近代農業である。ブラジルの大豆農園はアメリカのそれと変わるところがない。

スリランカでは肥沃な高地地帯は茶畑でおおわれ、米作は細々と限界的な土地で行なわれている。独立後もほとんどの国で、地元民は口にしない嗜好品や農産物原料、そして輸出用飼料が大農園や小農の請負生産方式で栽培され、その作付面積は絶えず拡大されてきた。

一九九〇年代以降のグローバリゼーションの時期に、森林が焼かれたり開墾されたり、既存の耕地が輸出用作物の耕地に転換されたりする現象がますます進んだ。ブラジルのアマゾン川流域では、一九八〇年代から熱帯雨林が焼き払われ始め、当初はゴムの農場、次いで牧場、大豆の農場に転換された。衛星写真によると毎日、アマゾンの森林のどこかで出火が見られるという。

一九九〇年代後半には、アジアの経済成長から油椰子の栽培が東南アジアで大きく伸びた。この油は食用油や化粧品等に用いる。そのため、インドネシアのカリマンタン島、スマトラ島では熱帯雨林が焼かれて油椰子農園に転換され、貴重な生物多様性が失われた。また、一九九七〜九八年には、マラッカ海峡周辺が森林を焼いた煙から発生する靄《もや》におおわれ、マレーシア、シンガポール、インドネシア等で飛行機、船、自動車やオートバイ等の交通事故が続発し、学校も休校となり、五〇万の人びとが病院で手当てを受ける事態が発生した。

その後一時、開墾状況が落着いたようにみえたが、二〇〇三年頃からの一次産品市場の高騰により、再び、西マレーシア、カリマンタン島で森林が焼かれ、油椰子農園に変わりつつある。

表8に油料作物(大豆、椰子油、菜種、落花生など)の生産、消費量と貿易収支を示した。二〇〇三／〇五年の時点で、先進国は年三〇〇〇万トン余を輸入しているが、途上国でもアジア輸入国(中国、NIES等)だけで一三一〇万トンを輸入している。これら油料作物の需要の多くを途上国がまかない、とくに五つの主要輸出国(マレーシア、アルゼンチン、インドネシア、ブラジル、フィリピン)が途上国輸出の四分の三を供給している。

輸出作物で得られた外貨はまず都市を潤おしてきたことは南の世界における大都市の繁栄(ブラジルのサンパウロ、リオデジャネイロ、西アフリカのアビジャン、タイのバンコク、マレーシアにとってのシンガポールなど多くの都市)をみればすぐわかる。ブラジルの「貧困地域」東北部のベレン市やコーヒー輸出の小国コスタリカのサンホセ市ではオペラ劇場が威容をほこっている。しかし都市や工業の繁栄が続き、農村の貧困や飢えが続くようであれば、当然いま南の世界で最も豊かな土地を占拠している輸出・商品化農業と、限界的土地で営まれている食料農業間の

表 8　油科食料貿易（2003/05-2015 年）　　（100 万トン）

	生産		輸入		輸出		輸出入差	
	2003-05 年平均	2015 年	2003-05 年平均	2015 年	2003-05 年平均	2015 年	2003-05 年平均	2015 年
世界	174.0	241.7	51.8	68.1	54.6	71.8	2.8	3.7
北アメリカ	39.7	47.7	2.7	3.5	7.5	9.9	4.8	6.4
西ヨーロッパ	21.7	27.7	25.4	31.3	0.7	0.8	Δ24.7	Δ30.5
CIS	3.6	4.7	1.0	1.4	1.7	2.0	0.7	0.6
日本	4.7	4.4	1.2	0.7	–	–	Δ1.2	Δ0.7
南アフリカ共和国	0.5	0.5	0.7	1.0	–	–	Δ0.7	Δ1.0
途上国	102.5	155.4	19.9	28.6	44.4	58.6	24.5	30.0
アフリカ	1.2	1.5	2.0	2.9	–	–	Δ2.0	Δ2.9
ラテンアメリカ・カリブ海	54.2	78.1	4.7	7.1	39.6	54.9	34.9	47.8
アルゼンチン	24.8	36.2	–	–	23.9	34.7	23.9	34.7
ブラジル	23.3	32.9	0.2	0.2	13.9	17.1	13.7	16.9
アジア大洋州	47.1	75.8	13.2	18.6	4.7	3.7	Δ8.5	Δ14.9
中国	32.1	56.5	0.1	0.2	0.7	–	0.6	Δ0.2
インド	8.8	11.1	–	–	3.3	2.8	3.3	2.8
LDC	0.1	0.8	0.3	0.4	–	–	Δ0.3	Δ0.4

（出所）OECD-FAO, *Agricultural Outlook 2006-2015*, Annex Table A 11.

土地分配を変えようとする動きが起こるだろうことは、想像に難くない。

イランではシャー（皇帝）の時代に、モノカルチュアの石油輸出によりテヘランに高層建築が林立し、原子力発電所・高速道路・地下鉄などあらゆる近代化計画が進められたが、農村知識人・大衆の蜂起によって、この動きにストップがかけられ、原理主義政権の下ですべてが野ざらしになった。商品化農業の行き先に同様のことが起こらないとは誰も保証できない。

第二は、これと関連して、富者と貧者、とりわけ地主と無産大衆間の土地分配の問題がある。

輸出・商品化農業はその多くが、大農園・大地主制をつうじて進められたため、開発途上国における富・所得分配の不平等は著しいものがある。しかもこの土地集中は、独立後の近代化路線をつうじて進展している徴候がある。

ラテンアメリカでは一・五％の農場が耕地・牧地の三分の二をおさえている。コーヒーと石油輸出国のエクアドルでは五〇ha以上の規模をもつ四%の農場が土地の六二%を占めており、所得上位の一〇%の人口が所得の五七%を得ている。近年、ボリビアのモラレス、ヴェネズェラのチャベス等反米左派政権が続出しているのにはこのような経済社会的背景がある。

バングラデシュでは一九六〇年代に農村人口の五割強が一ha以下の零細農、土地なし農民だったが、二〇年後にその比率は七割強にふえた(うち土地なし農民は一九六〇〜七七年間に一七%から三三%にふえた)。反面、同じ期間に一割の富農が所有土地を二六%から四二%にふやした。バングラデシュの農家で自給または余剰生産ができるのは、四エーカー(一・六ha)以上の耕作規模をもつ農家一割強といわれる。貧困人口がふえると、かれらは容易に天災の犠牲となる。バングラデシュでも毎年のようにサイクロン等による洪水や津波で貧困層に多数の犠牲が出ている。

大土地所有制の下では労働生産性は概して低い。中小農の方が生産性は高い。その理由はいくつか考えられる。

第一には、巨億の富をもち、多くは大都市に居住する大地主にとっては、粗放経営で十分の所得を得るために格別生産性向上に投資する誘因はない。

第二に、農業労働者や分益小作農にしても、土地を大切にし、肥料等の費用をかけて生産性向上に努力する理由はない。彼らの身分は不安定であるし、たとえ収益が上がってもそれは地主を利するだけだろうから。

ここに生産性向上と雇用創出両面での土地改革の重要性が現れる。ＦＡＯは一九八〇年代半ばの時点で南の世界各地域での農地再分配が可能な面積を**表9**のように見積った。ラテンアメリカでは一〇〇ha以上の大農場余剰面積が農地の六五%、アフリカ、中東では二〇ha以上の農場余剰面積が二二~三四%、アジアでは一〇ha以上のそれが一二%に及んでいる。他方で農村人口の五〇~七〇%とみられる小農・零細農(ラテンアメリカでは一〇ha未満、中東で五ha未満、アフリカとアジアで二ha未満)は農地の四~一二%にひしめく勘定である。

二〇〇〇年に小農・零細農、そして土地なし農民の比率は農村人口の四分の三に達するとみられ、土地の再分配は時代の趨勢となろう。しかし、すでに現在一〇億haの耕地に農業就業者一三億人がひしめいている現状では(世帯当たり〇・七六ha、アジアでは〇・五ha)、土地改革にも限度があり、農村プロレタリアをすべて救済するわけにはいかない。

表 9　途上国の農地再分配が可能な面積

	ラテンアメリカ	アフリカ	中東	アジア
小農場保有者の耕地面積比率(%)	3.7	22.4	11.2	21.7
一定の上限を越える大農場の余剰面積比率(%)	65	22	34	12

(出所)　FAO『2000年の農業』1985年，表5-1.

エジプトでは三次の土地改革をつうじて地主の土地所有上限を二一haとしたが、それでも農村プロレタリア二八〇万家族の二割に土地が配分されたにとどまった(七〇年代にアスワン・ダム開発により、ほぼ同規模の土地を造成・配分している)。しかし、この間土地なし農民の比率は農村人口の四五%から五〇%にふえた。他方で土地の細分化が土地生産性をひき下げるおそれも強い。したがって、土地改革と共に農業の協同化、農村の工業化方策が必要になる。

第三に、都市と農村間の資源分配がある。独立後多くの途上国は、工業化により先進国にキャッチアップする戦略をとった。そのため、農業にはあまり投資が行なわれず、都市・工業に投資が集中してきた。それが農村からの人口流出、農業地域の生態系悪化を導いてきた。しかし、農村で食料を主とした複合経営が始まり(それは灌漑設備を必要とする)、農村の工業化が進められるならば、莫大な投資が必要となる。都市と農村間に資源の分配問題が現れる。

こうして、国際的な分配の問題と重なりあいつつ、今後二一世紀にかけて、南の世界各国の食料需給バランスがいくつかの地域で表面的に確立したのちも、国内分配の問題がますます大きく提起されていくことになろう。

これら三つの分配問題に加えて、これまで何度か述べてきた、穀物の食料と燃料間の分配、土地の工業と一次産業間の分配、また農地の耕作用と環境保全用間の分配等、新たに何層かの分配問題が現れてきている。

これらの重層的な分配問題のからまりを解くカギは、結局のところ、農村の都市化(付加価値の地元利用)、また都市の農村化(都市での食料生産)という、都市と農村の対立をほぐすこと、富者と貧者、人間と家畜、食料と商品作物・燃料間の対立を緩和していくことしかないだろう。

それが、経済と環境のバランスを調和的に保つ持続可能な発展の道にもつながる。この点については、さらに最終章で検討することにしたい。

第4章　多国籍企業とアグリビジネス

今日、世界の農業には大きな変化が訪れている。

一六〜一八世紀にかけてはヨーロッパで生存維持のため細分化された耕地が、商業的に併合されて、大牧場(イギリスのエンクロージャ)や大農場(東欧)に再編され、資本主義発展の土台を築いた。

一九世紀には南の世界で、同じく生存維持のための農地が輸出むけモノカルチュアの大農場(コーヒー、カカオ豆、紅茶、落花生、綿花など)に再編され、農村の景観が大きく変わった。

グローバリゼーション下の今日では多国籍のアグリ畜産・食品複合企業(agri-livestock food business complex；アグリビジネス、またはアグリＴＮＣと略称する)が、世界の農畜産業、食品関連産業への支配力を強め、新たな農地景観(ここでは農村はもはや周辺的な位置に退いている)、現代的農・牧場を出現させつつある。

農業が保護産業とか、農村が遅れた地域とかいう話はここでは別世界のことで、アグリビジネスの下では、農業は最先端の自由化産業であり、ＷＴＯの場での農業自由化の推進体となっている。

アグリビジネスにはいくつかの起源があり、けっして一枚岩のものではないが、その出身の一つは、大穀物商社起源のTNC（多国籍企業）である。

これらの商社は穀物取引で富をなし、かたわら穀物関連の諸産業に投資し、TNC複合企業として成長を続けている。

国際的な穀物市場は、ごく少数の大商社によって動かされている。その多くは、ヨーロッパ起源だが、今では、アメリカを本拠としている。

中西部ミネソタ州に本拠を置くカーギル社、フランス系のユダヤ資本でニューヨークに本社をもつコンチネンタル社、オランダ系のユダヤ資本バンゲ社、パリに本社のあるユダヤ資本ルイ・ドレイファス社、スイスのアンドレ社とそのアメリカ子会社のガーサック社が従来、〝ビッグ・リーグ〟と呼ばれ、北米大陸からの小麦、メーズなど穀物輸出の九割以上をコントロールしてきたのだが、これら大穀物商社間でも合従連衡、他社特定部門の買収、特定部門の規模拡大や重点化、新規産業への進出や多角化等があい次ぎ、またグローバル化時代になり、他メジャー企業の穀物部門への参入等が続いた。

新規メジャーの穀物産業進出の代表は、食品加工のアーチャー・ダニエルズ・ミッドランド（ADM）とコナグラ両社であり、この両社はカーギル社、シリアル・フード生産者協会（CFP）と合わせて、今日では穀物製粉の六割以上をコントロールしている。

また、ADM、バンゲ、カーギル、アグ加工の四社は大豆加工の七割を支配している。

これら穀物メジャーは畜産部門にも進出したり、既存企業と連携したりして、農畜産複合企業として成長している。

牛肉生産では、タイソン食品、カーギル、スウィフト食品、ナショナル・ビーフ・パッキングの四社が二〇〇二年に食肉処理の八四％(一九九〇年には七二％だった)を占めた。鶏肉生産では同じくタイソン食品ら四社が五六％(一九八六年には三五％)、豚肉生産ではこれもタイソン食品ら四社が六四％(一九八七年には三七％)を占めた。食肉生産での巨大企業による集中化は、アメリカを始め全世界でのハンバーガー・チェーンの発展と軌を一にしており、大規模生産・大規模流通が、消費者の食生活の肉食化と並行して進んだのである。その反面、原料生産でも大規模牧場が標準化し、一九八〇年代には中米諸国の森林が焼き払われて牧場に転化し、一九八〇年代末からはブラジルのアマゾン流域の熱帯林が焼かれて牧場に変わった(そして現在は、熱帯林はやはり焼かれて大豆畑へと変貌しつつある)。

今日のアグリビジネスは二つの方法で市場及びわたしたちの食生活の支配を深めている。

第一は、穀物・食料生産の川上・川下両部門での統合である。

穀物生産の川上部門とは、まず土地や契約農家の集積である。アメリカ農業で一九七〇～八〇年代に中小農家が淘汰され、大規模農家への集中現象が進んだことについては前述した。これは大規模企業、輸出業者との取引きをつうじて、競争が促進され、中小農家が没落したのである。他方では、大規模農家は政府保護の下に生産規模を拡大し、輸出農業を進め、そこから起こる余剰農産物については、土地保全休耕、バイオ燃料転換を含む保護政策の恩恵を享受している。

川上部門とはまた、育種や農業資材(肥料、農薬その他の資材)分野のコントロール、支配でもある。育種とは、大規模会社に最も都合のよい種子の開発、特許、独占であり、新型種子の開発

表 10　国別遺伝子組換え作物栽培面積

国	1999年		2001年		1999-2001 年	
	面積	対世界面積比	面積	対世界面積比	面積変化	
	100 万 ha	%	100 万 ha	%	100 万 ha	%
先進国	32.8	82	39.1	75	6.3	19.2
米国	28.7	72	35.7	68	7	24.4
カナダ	4	10	3.2	7	－0.8	－20
オーストラリア	0.1	＜1	0.2	＜1	0.1	100
その他	＜0.1	＜1	＜0.1	＜1	—	—
開発途上国	7.1	18	13.5	24	6.4	90.1
アルゼンチン	6.7	17	11.8	23	5.1	76.1
中国	0.3	1	1.5	1	1.2	400
南アフリカ	0.1	＜1	0.2	＜1	0.1	100
その他	＜0.1	＜1	＜0.1	＜1	—	—
合　計	39.9	100	52.6	100	12.7	31.8

（出所）　FAO『世界農業予測：2015-2030 年』後編，196 ページ．

はいうまでもなく、この種子が必要とする肥料、農薬その他化学物資の供給と結びついている。

一九五〇年代の改良種トウモロコシの開発に始まり、八〇年代のＦ１（一代交配種）種子は生産性の高い種子を農家に提供することにより、少数の育種企業、化学大会社に巨利を得させた。

Ｆ１種は効率はよいが、一代限りのもので、農家が採種することができないため、この種子を採用した農家は永久的に種子会社からのＦ１種子供給に依存することになる。

今日では種子開発に遺伝子組換え（Genetically Modified Organization；ＧＭＯ）技術が利用されるようになり、トウモロコシ、大豆など飼料穀物の領域でＧＭ種子が飛躍的に普及するようになっている。

ＧＭ品種栽培は一九九六年頃から始まったが、その栽培面積は世界的に大きく伸びている。一九九九年には約四〇〇〇万ha、二〇〇一年には五二六〇万ha（内四分の三が北米）に伸びた（**表10**）。二〇〇七年

図9　国・作物別遺伝子組換え作物

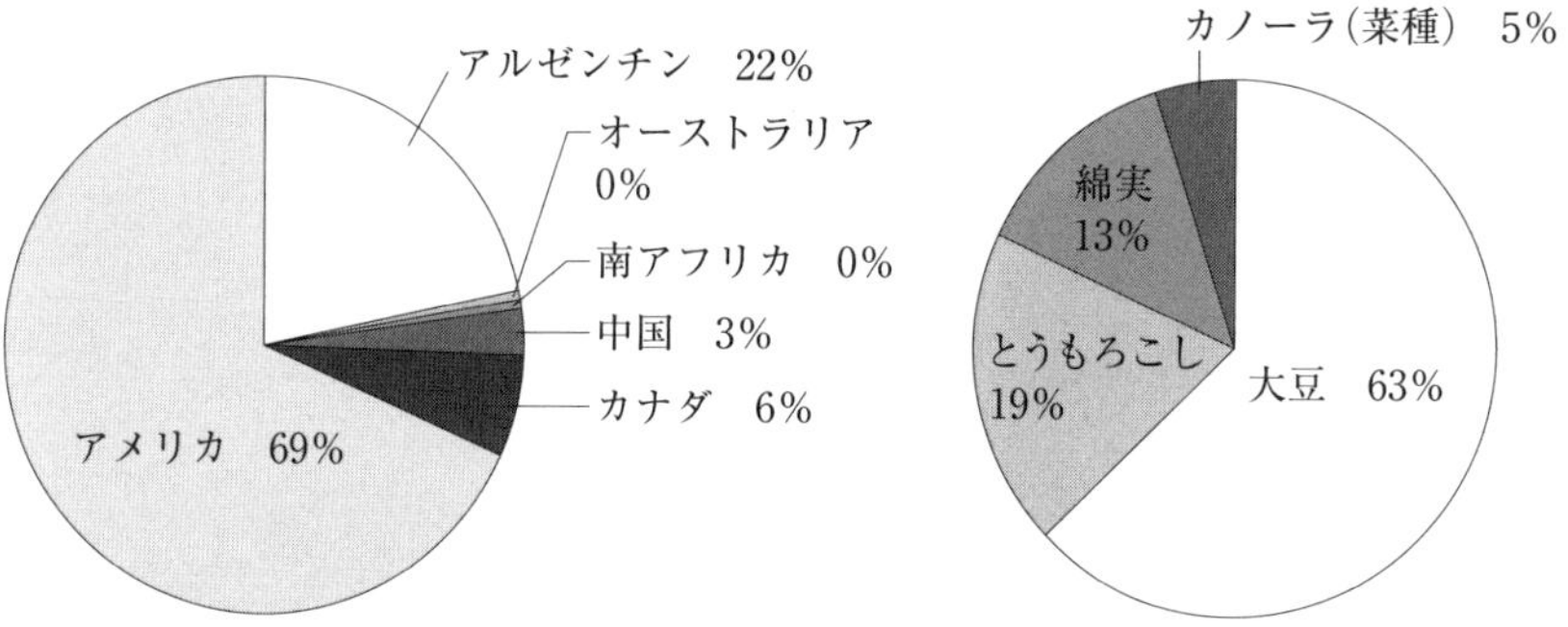

A　2001年における遺伝子組換え作物採用国(5,260万ha)　B　2001年における主要遺伝子組換え作物(5,260万ha)
(出所)　**表10**に同じ.

にはさらに二三カ国、一億一〇〇〇万haと発表されている(国際アグリバイオ事業団〔ISAAA〕、毎日新聞二〇〇八年二月二九日付)。一〇年間に世界の耕地の七%程度まで普及したことになる。

作物としては大豆(六三%)、メーズ(一九%)、綿実(一三%)、菜種(五%)が多い(**図9**)。しかし、大豆、メーズの大部分は飼料、加工用である。

GM技術は、特定目的を生物に付与する遺伝子を特定品種に組込むことにより、当該機能を増進する。一般に耐農薬性、耐ウィルス・害虫性を高めたり、光合成能力を強化することにより、生産性を改良し、高収量を実現する。保存性を高める例もある。

現行のGMOの大部分は、耐害虫、耐除草剤の二つの機能のいずれかを強化するもので、害虫抵抗性のGMは、モンサント社により開発された、メーズに付着するアワノメイガを殺すBtコーン、また同社の強力除草剤ラウンドアップに耐性をもつラウンドアップ・レディ大豆が有名である。

二〇〇四年の時点で、アメリカのメーズ作付面積の四割、大豆のそれの八割がＧＭ作物となっている（ＩＳＡＡＡの発表）。近年ではブラジル、中国等でも飼料用、バイオ燃料用のＧＭ作物の普及が急速に進んでいる。

ＧＭ技術の優位については高収量のほかに、農家の除草、殺虫等の手間が省けること、また遺伝子組込みにより、異常気象等への耐性を増し、食料供給が安定的になること、農薬散布の必要が減り安全性が高まること、大量生産により安価に供給できること、などを製造業者団体は主張している。

だが反面で、ＧＭＯにたいする批判の声も根強い。ＧＭ作物の環境や人間の健康にたいする影響については、安全性の立証が必ずしも十分ではないこと（耐害虫性を強めたＧＭでは微生物がもつ毒素の遺伝子が導入されており、このような組換え遺伝子が生態系の中に広がることによって、人間の健康に悪影響を与えるのではないか、という懸念は消費者の間に強い）、ＧＭ作物やＦ１種子によって作物品種が単一化する傾向があり、生物多様性が損なわれる恐れ、ＧＭ作物が生産や運送・貯蔵の過程で非ＧＭ作物と交雑し、予期しない遺伝子汚染をもたらし生態系を損ない得ること、またＧＭ技術の発展の中で、成長ホルモンを導入した巨大鮭や耐冷鮭など、生物への応用の試みが始まっているが、生命倫理の観点からの抑制が必要ではないか、とする議論がある。

だが、アグリビジネスの強力なロビー戦術、アメリカ政府の支持、農家負担の軽減、生産費用の低下等から、アメリカや新興国等においてＧＭ品種が普及しているのが現状である。

なお、アメリカでも、アメリカ人の主食である小麦は一九九六年、ジャガイモは一九九九年を最後にGMO開発が停止していることは、先のような消費者の不安が強いことを示している。

EUでは、GMO表示を条件として、いくつかのGM作物が認められてきたが、栽培面積は少なく、二〇〇八年二月にフランス政府がモンサント社のGMメーズ栽培を禁止して以降、GM作物見直しの方向が出ている。

日本では、GM栽培は認められていないが、一九九六年にアメリカ政府の圧力によりGM作物の輸入を認めている(輸入作物の五%以上GM作物の場合には表示が義務付けられている)。だが、GM作物の大部分は前述したように飼料と加工食品(豆腐や納豆等)に用いられているので、世界でも指折りのGM作物消費国民となっている。

なぜ、これら問題の多いGM作物が短期間にこれだけ世界に普及してきたかというと、GMOの大部分はモンサント社、チバガイギー社(スイス)、ヘキスト社(ドイツ)、デュポン社(アメリカ)、ダウ社(アメリカ)等の多国籍化学会社により開発され、世界的なアグリビジネスの市場独占、川上部門結合の一環として進められているからだ。カーギルとモンサントの合弁レネッセント社は耐病害虫メーズ等のGMヒット商品を開発しており、ADMはデュポンと組んで新GM品種の開発を進めている。現在では前述のモンサント社ら一〇社が、世界の二一〇億ドル種子市場の半分、三五〇億ドル農畜産化学資材市場の八四%を独占している。これらアグリビジネスの世界戦略が、アメリカ政府によって支持されているわけである。

これら川上部門での農業生産・投入財(肥料、農薬)集中(その要《かなめ》が種子)の動きは、異業種併合のかたちでも進んでいる。穀物メジャーはここ十数年積極的に畜産部門に進出し、畜産大手を併合したり支配下においたりしている。

アメリカでは、牛肉、豚肉、鶏肉が三大動物食肉市場となっており、これら精肉市場でもタイソン食品(鶏、豚、牛)、プリグリムズ・プライド(鶏)、ゴールド・キスト(鶏)、パーデュー(鶏)、スミスフィールド食品(豚)、スウィフト食品(豚、牛)、ホーメル食品(豚)、カーギル(牛)、ナショナル・ビーフ・パッキング(牛)等、各部門数社による生産・食肉処理の集中が進んでいる(T. Weis, *The Global Food Economy*, 2007, chap. 2.)。

これら川上部門での集中の進展は、実は川下部門での集中と結びついている。

食料の川下部門とは、いうまでもなく、最終消費段階での精製、加工、調理食品の分野だが、従来、川下部門は消費者の多様性を反映して、大中小のメーカー、食品産業が多数存在していた。だがここ数十年のアメリカを始めとした全世界食品産業は、一方ではハンバーガー・チェーン等のファスト・フード化、他方ではポテトチップス、チョコレート、フレーク等の実に多様な(ただし見かけ上の)ジャンク・フード化(一時の満足感は与えるが、栄養価は低く、むしろ糖分過剰など健康に有害)と冷凍食品等インスタント化により、急速に集中が進んでいる。

表 11　世界の十大食品 TNC

企　業	2004 年度売上げ(億ドル)
ネスレ	640
ADM	360
アルトリア	320
ペプシ	290
ユニリーバ	290
タイソン	260
カーギル	240
コカコーラ	220
ダノン	170
マーズ	150

(出所)　M. Hendrickson and W. Heffernan, "Concentration of Agricultural Market", Report to the National Farmers Union, Washington, D.C., 2005.

この分野にアグリ畜産ビジネスも積極的に参入す

表12　アメリカにおける食品加工の上位4社の市場シェア（2005年）

市場	シェア(%)
牛肉	81
豚肉	59
鶏肉	50
小麦精粉	61
大豆精粉	80

（出所）　**表11**に同じ.

るようになってきた。

表11は世界の十大食品TNCを示したものだが、これらの中に、カーギル、ADM、タイソン食品などアグリ畜産ビジネス企業の名前が目につく。これら一〇の巨大企業の売上げ総額は二九四〇億ドルに及ぶが、もしその一割が国連世界食糧計画が提供する食料援助（二〇〇六年で三〇億ドル。世界の飢えた人口八億人の一割、八〇〇〇万人にようやく提供されている〔同機関の日本語版HPを参照〕）にまわされたとしたら、その額は一〇倍となり、世界の飢えた人口すべてに自立の前提としての緊急食料援助が可能になる勘定となる。

表12はアメリカでの食品加工上位四社による市場シェア集中度を示しているが、穀物、大豆、精肉等の分野で集中度は六〜八割に及び、食料経済の独占度はきわめて高い。これらはもちろん同一のアグリビジネスとは限らないが、会社が異なる場合も、株式持合い、合弁、提携、特定部門買収などをつうじて、市場の独占度を高めている。そのような意味で、アグリ畜産食品ビジネスは複合企業（コンプレックス）であり、相互に市場シェアをめぐって争いつつ、必要な場合には協調、連携して、経済グローバル化、市場自由化を世界的に推進する動因となっているのである。

このような食料分野の経済集中は、わたしたちの身の回りに、次のような二つの大きな変化をもたらしている。

第一は、わたしたちの食生活はしだいに巨大企業にコントロールされるようになってきている。すでにわたしたちは、アグリ畜産ビジネスが、メーズ、大豆等の主要穀物で、大規模・効率生産のための種子単一化を進めていることをみた。長年にわたって人類が食用に利用してきた植物品種は一万種以上だが、今日では植物性食物の九割が一二〇品種によって提供されるようになっている(安田節子『食べてはいけない遺伝子組み換え食品』徳間書店)。畜産業でも生産は豚、鶏、牛に収斂して、肉食が急上昇している。

このような農業・畜産業分野での生産物集中は当然、生物多様性を損ない、地上の種を急減させている(毎年三〜四万種が絶滅しているとみられている〔E・O・ウィルソン『生命の多様性』上・下、大貫昌子・牧野俊一訳、岩波現代文庫〕)。

図10　食生活の肉食化

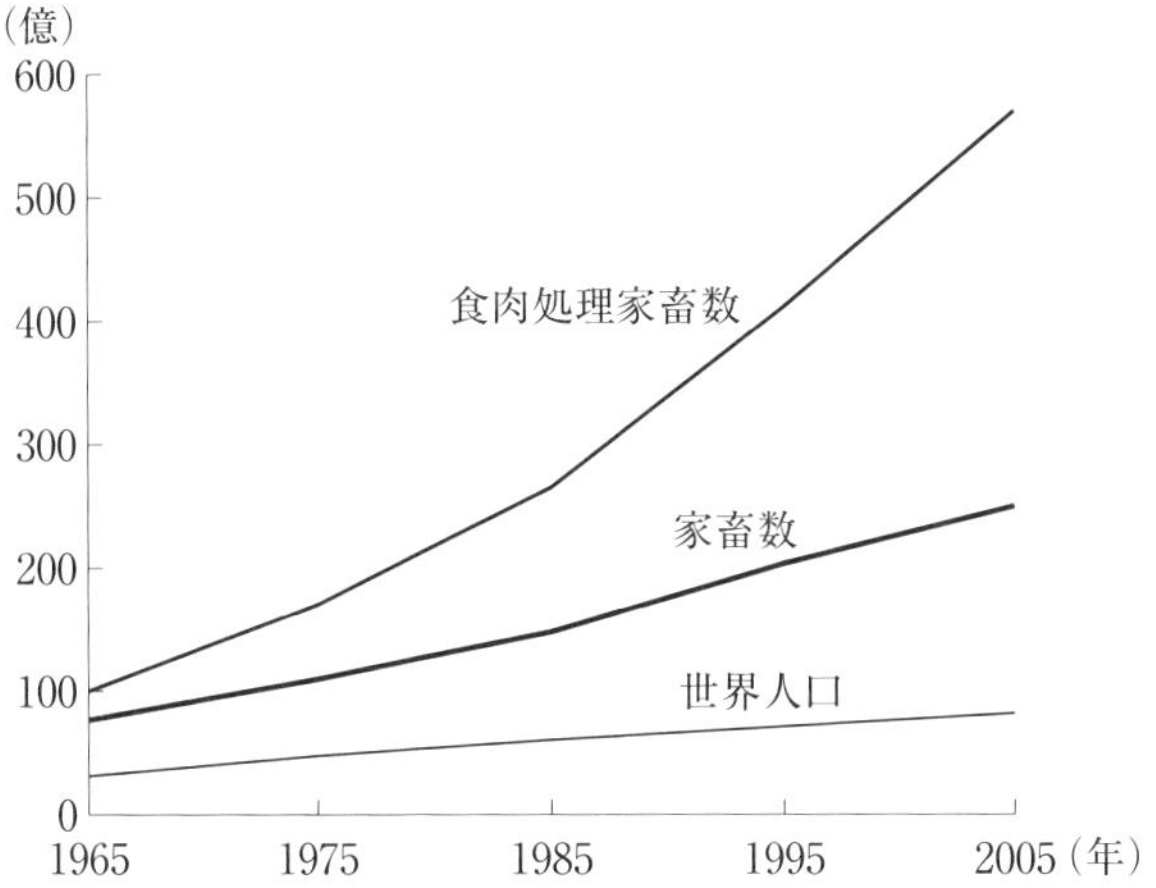

(出所)　T. Weis, *The Global Food Economy*, 2007, P.19.

生物多様性の急減は、生物連鎖の頂点にある人類の生活、生き方にも影響を及ぼさずにはいない。

図10は、わたしたちの食生活における肉食化の急進度を示している。一九六五年から二〇〇五年の四〇年間に、世界人口は三三億から六六億へと約二倍にふえた。この間、家畜数は、約九〇億頭・羽から二二〇億頭・羽(内四分の三はブロイラー及び採卵鶏)と二・四倍にふえた。だが、食肉処理家畜数は、年一〇〇億頭・羽から年五六〇億頭・羽へと五・六倍もふえている。わたしたち一人一人は、年間一〇

頭・羽の家畜を食べているのである。

図10における一九七〇年前後から八〇年頃までの第一の急伸長は、日本、ソ連圏、アジアNIESの肉食化によるもので、二〇〇〇年前後からの第二の波は、中国、アジア諸国における肉食化による。

このような急速な肉食化、食肉処理家畜数の増大は、第一には畜産業の工業化によって支えられた。家畜の工業的飼育には大量の穀物が必要である。北アメリカの穀物生産の半分は家畜飼料にむけられている。それと同じだけのカロリーを家畜によって生み出すには、平均して約七倍の穀物が必要である。家畜やバイオ燃料むけに使われているGM作物が、GMO支持者のいうような、「世界の飢えを解決する」妙薬からはほど遠く、むしろ世界の低所得人口から食料を遠ざける役割を果たしていることが、わかるだろう。

第二は、環境への悪影響がある。ブロイラー、採卵鶏とも狭いケージの中で密飼養され、動くこともままならず、毎日ひたすら飼料を与えられて肥育される。数カ月でブロイラーは食肉処理に回される。工業生産化は豚や牛についても同様である(この状態はドキュメンタリー映画『いのちの食べ方』で描かれている)。このような畜産業の工業化は環境へさまざまな影響をもたらす。牛のBSE感染が、プリオン病であるスクレーピーに感染した羊の肉骨粉を促成肥育飼料に用いたことに発することはよく知られている(西川潤『世界経済入門 第三版』岩波新書、一一三〜一一四頁を参照)。また、鳥インフルエンザ病は大規模集約型の飼育システムに発するとみられる(クリストファー・レイヴィン編『ワールドウォッチ研究所 地球環境データブック 二〇〇七〜〇八年版』

福岡克也監訳、ワールドウォッチ・ジャパン)。毎日膨大に排出される家畜の糞尿は、工業的畜産では大量の水で処理されリサイクルされることもない。これは世界的に進行している水危機に悪影響を与えると共に、環境汚染を加速化する。

これら家畜は、養殖水産の魚と同様、毎日、抗生物質漬けになっている。家畜は体重単位当たり人間の八倍の抗生物質を投与されているといわれている。このような抗生物質の氾濫、GM飼料を投与された食肉を摂取する人間が、環境汚染と無縁でいられるだろうか。

わたしたちは知らず知らずの間に肉食化に駆り立てられているのだが、それは環境悪化、食料危機を進める性質のものである。

いまみたような畜産業の工業化は、前述したファスト・フード化、食のインスタント化とセットになって、わたしたちから食生活における主体性を剝奪しつつあるといえる。

それは、世界食料経済で進んでいるアグリTNCの支配と相関関係にあるのだが、このようなTNC支配が、南北問題、世界の貧困問題を悪化させていることに触れておこう。

南の途上国は植民地時代、コーヒー、カカオ豆、紅茶、綿花等、自分たちでは消費しない輸出用商品作物を発展させた(させられた)ことについてはすでに触れた。

この農業構造は、独立後の今日でも、外貨獲得の必要性から残っており、それがこれらの国で食料自給どころか外国(先進国)への食料依存を生む——この事実を第3章でみた。

世界第一のコーヒー豆輸出国エチオピアで、人口の一割強の七〇〇万人が毎日、国連の食料援助で生きながら得ているという現実は、わたしたちの襟を正さずにはおかない。

二〇〇八年五月に公開されたドキュメンタリー映画『おいしいコーヒーの真実』は、コーヒー生産、輸出、流通をめぐる南北関係をうまく示している。

世界のコーヒー市場は、クラフト食品（世界第二位の食品・飼料会社）、スイス本拠のネスレ社（世界最大の食品メーカー）、プロクター・アンド・ギャンブル（アメリカの大手化学・日用品メーカー）、サラ・リー（化学・食品会社）の四社によって支配されている。

映画『おいしいコーヒーの真実』では、トールサイズのコーヒー一杯三三〇円の価格内訳を次のように示している（なお、コーヒーの国際生産・流通構造については、辻村英之『コーヒーと南北問題』〔日本経済評論社〕が参考になる）。

コーヒー豆一キログラムで生産農家は約二四〇〇～四〇〇〇円を手にするが、一キログラムからは八〇杯のコーヒーがしぼれるので、小売段階では二万四〇〇〇円の価値を生み出している。生産者からのコーヒー豆の集荷、貯蔵、出荷段階での仲介手数料（七％程度）、運送・関税・輸入業者の手数料、さらに焙煎業者や小売業者の収入（消費国側に九割がおちる）がそれぞれかかる。生産者の手取りは三～九円（一～三％）という本映画の計算は現実から遠いとはいえないだろう。

参考のために、日本のフェアトレード（民間非営利団体が直接貿易により現地生産者により多くを還元しようとする運動）団体のオルター・トレード社が、フィリピン農家と行なっている砂糖輸入の原価構成を**図11**に示した。

この会社が輸入しているマスコバド糖（精糖前の庶糖）の場合は、生産国側の取分は卸価格の約半分だが、ここには集荷、貯蔵、出荷等、現地組合や提携ＮＧＯの取分が入っている。実際には生産者の取分はさらにその半分程度だろう。だが、それでもフェアトレードの場合には、多国籍企業経由にくらべて、実際の生産者取分は二倍以上にふえている。

図11　マスコバド糖（1パック500g，250-300円）の価格とその分配

卸価格原価	144円	現地FOB出荷価格	87.5円 49%	生産者・流通業者
		船賃，保険料，関税等	34.19円 19%	流通業者・運送者・輸入国政府
		流通経費	22.71円 13%	
卸価格	180円	卸価格マージン	35.6円 20%	卸業者
店頭価格	250円	小売マージン	28%	小売業者

（注）　卸価格・同原価中の％は卸価格にたいする比率．
（出所）　オルター・トレード・ジャパン広報課．

二〇〇一～〇三年は国際コーヒー市況はベトナム等新興輸出国の参入もあり、頭打ちだが、二〇〇七年以降は中国等の輸入需要がふえ、当時の三倍（とくにスペシャリティと呼ばれる特産の上質品）に上がっている。しかし、生産者にとっては手取り収入はほとんど変わっていないのが実情である。

その理由は、コーヒー市場における大手独占にある。日本のレギュラーコーヒーの国別輸入をみると（日本コーヒー協会HPより）、三分の二はアメリカ、イタリア、オランダ、イギリス等の先進国で、ブラジル（８％）等生産国から買っているのはわずかにとどまる。したがって、価格上昇のときはTNCが利潤を吸い取り、価格下落の際はその分を生産者の負担として押し付けるのである。

この価格構成の仕組みは穀物や畜産でも同様で、コストは生産者に押し付けられる。

アグリビジネスは大手供給者との間でまず供給契約を結び、農畜産物価格もしばしばオークション形式をとるので、規模で劣る中小農家、畜産家は、農畜産価格の上昇期、低下期いずれの場合にも破産し、生産の寡占化が進む構造になっている。

再び**図11**のマスコバド糖をみると、生産農家の手取りが倍増していることのほかに、生産者が主体性を取戻していることがわかる。つまり、生産農家はフェアトレードをつうじて、仲介・貿易業者と協議し、価格形成を合理的に(公正に)定めることができる。

世界的なアグリビジネスによる食料経済寡占化の進展の中で、このような市場任せの動きとは異なり、農業と食料経済を自らの手に取戻そうとする動きが出ていることに、わたしたちは将来への期待を見出したい。

第5章　再構築が迫られる日本農業

第二次大戦後の日本は、経済復興(一九四六〜五四年)、工業化と先進国へのキャッチアップ(一九五五〜九四年)、ポスト工業化と自由化(一九九五〜二〇〇六年)のそれぞれの時代をつうじて、農業の位置づけを大きく変えてきた。

第一の復興期には、食料増産が至上の課題だった。一九四五年に五八三万トンに落ちた水稲の生産量は四六年には九一三万トンに回復し、その後は国の手厚い保護の下に五五年には一二〇〇万トンまでふえ、工業化の前提としての食料自給を成し遂げた。

第二の工業化時代には、農業基本法(一九六一年)が制定された。農業基本法は一方では、米価安定・農業支援政策を中心に農工間の所得均衡を維持することをめざした。また他方では、農業の「選択的」拡大を進めて、特定作物における生産性を向上させ、「自立農家」を育成することにより農業構造の近代化をはかろうとした。この基本法は、当時から工業立国として歩み始めた日本経済の国際分業路線を補完する柱でもあった。

工業化を進めるためには、外国から安価な食料・原料を輸入する必要がある。そのため、農業では米・果実・蔬菜・畜産について基盤整備、構造改善、合理化を進めるが、他分野(イモ、マユ、大麦その他の穀物)は縮小する。その結果浮いた労働力は工業に回し、工業化を支える。これが国際分業路線という考え方である。

第三の時期では、日本の工業化も成熟段階に到達し、製造業の対外投資が進むにつれて、アメリカを始め諸外国から農産物市場開放、自由化を迫られるようになる。政府の財政赤字、小さい政府化の流れからも、保護農政の象徴であった食糧管理法は一九九五年に廃止され、代わって食糧法（「主要食糧の需給及び価格の安定に関する法律」）が定められた。これは、政府計画にしたがって生産された米について、政府買上米（政府米）のほかに自主流通米を認め、価格も基準価格をベースとした入札で決めていくもので、近年では両者の比率はほぼ半々となっている。このほか、計画外流通米もあり、米の取引は政府後見の下に、かなりの程度自由化されるようになった。

ポスト工業化の時代の農政の指針を示すのが、一九九九年の食料・農業・農村基本法（新農業法）及びこれを具体化した二〇〇五年の食料・農業・農村基本計画である。

この新法・新計画では、グローバリゼーション時代に、第一には食料の安定供給をはかり、自給率を現在の四〇％（熱量ベース）から二〇一五年に四五％まで高めることを目標とする。第二には農業・農村のもつ国土・環境保全、災害防止、美しい農村景観の提供、地域文化の維持など、多面的な機能の発揮を重視する。第三は、これらの機能の発揮をつうじて、農業の担い手を育成し、自然循環機能を発展させ、持続可能な農業を実現する。そして、第四には、これらの理念の推進をつうじて、農村と都市の連携ネットワークを形成し、農村コミュニティを全国的に発展させていくことである。

これらの目的は、いずれも正しいし、また実際、新法の下でこの一〇年間、日本の農業は大きく様変わりした。しかし、現実の政策はタテ割りでバラバラに進められた結果、効率と競争が重視されて、自給率の向上、自立農家の育成、農業の担い手の育成、持続可能な農業の実現などの主要な課題は必ずしも思ったように進んでいない。自給率は、当初(新法の時点)の二〇一〇年という達成目標が計画では二〇一五年に延ばされ、しかも、ここ数年向上の兆候はみられない。農業基本法では一応実現した農工の所得均衡も再びくずれてしまった。

ここで、現在の農業・農村・食料政策の課題を明確にするために、さきほどの三つの時代区分をつうじて、日本農業がどう変遷したかを整理しておこう。

この半世紀間に、日本の農業は次のように変わった。

- 一九六〇年の農家数六〇四万戸、農家人口三六三五万人は、二〇〇六年に各一八八万戸、七九三万人へ(農家人口率は三九%から六%へ)下がった。
- 専業農家は二一一万戸から四四万戸へ、また兼業農家は三九四万戸から一四四万戸へと減少した(うち農業所得の多い主業農家が二二%)。
- 耕地面積は六〇七万haから四六七万ha(耕地率一二・五%)と二三%減り、耕地の利用率(作付面積の耕地面積にたいする比)は一三四から九三に下がった。日本の耕地はいまや休耕や放棄で完全に利用されていない状態である。
- 農産物の総合自給率は九三%から六八%へ、穀物自給率は八三%から二七%へ、主食用穀物自給率は九三%から六〇%へ、それぞれ低下した。供給熱量ベースの食料自給率は四〇%である。

図12　日本農家の平均的な姿(2005年)

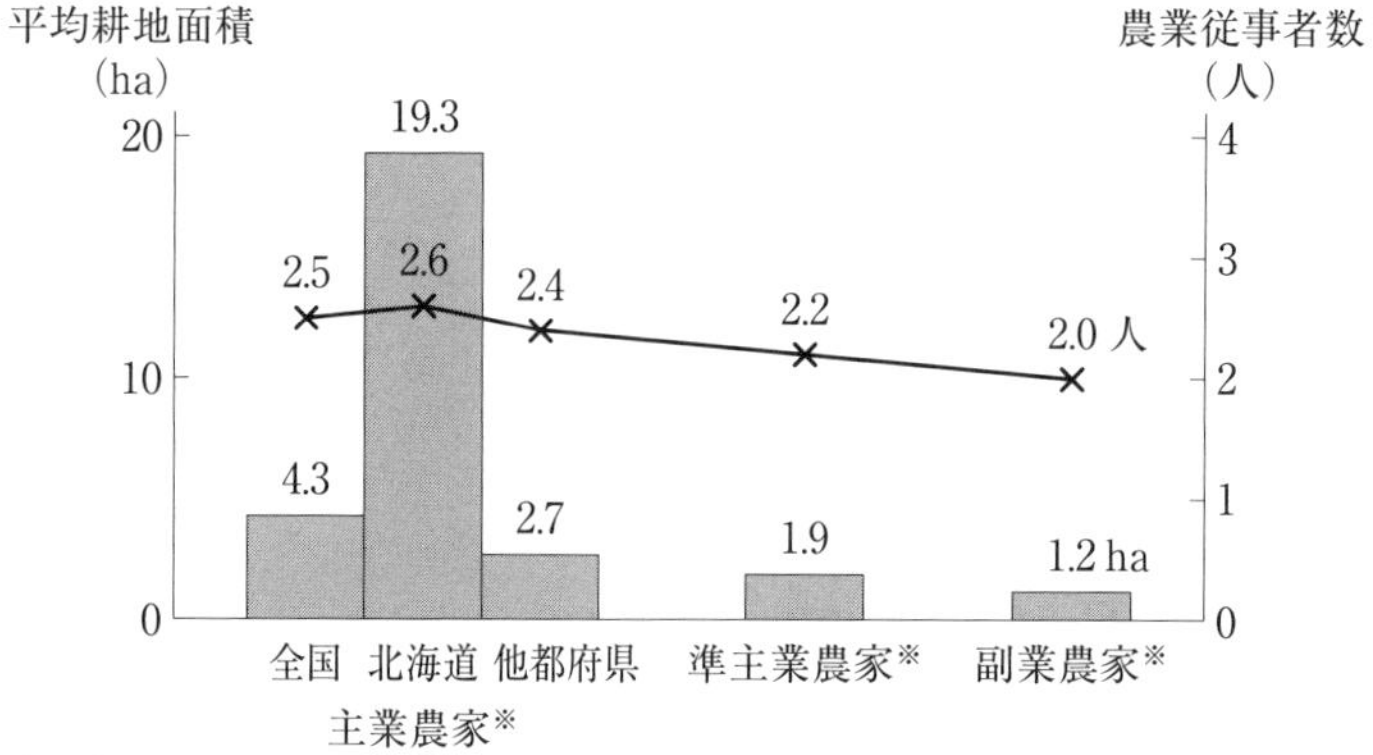

※　主業農家は，農家所得の50%以上が農業所得．準主業農家は農外所得が50%以上．
副業農家は主業・準主業以外で，65歳未満の農業従事者がいない農家．
(出所)　農林水産省統計部『ポケット農林水産統計』平成19年版，P.147より作成．

これらの変化をみると、この間に日本の工業立国に比例して農業部門は大きく縮小したことが知られる。国内総生産に占める農業生産の比率はいまでは一・五%となり農業者も二五三万人となった。このほかに、外国人研修生・技能実習生で農業・食料製造分野で働く者が約二万人に上り、高齢化の進む日本の農業を支える重要な担い手となりつつある(農水省『食料・農業・農村白書』平成一九年版)。

この間、日本人の食生活の高度化は主として輸入によりまかなわれ、自給率も大きく低下した。いま日本の農家は一戸平均二・四八ha(主業農家のみだと四・三ha)の農地を耕し、どの農家も耕耘機・トラクターをもち、一ha当たり約一一〇キログラムの肥料(窒素成分)と約六〇キログラム以上の農薬を投入し、一ha当たり米で五トンの収量を上げている。その生産性は高いが、規模の経済が働かないため、アメリカ農業とくらべると、穀物生産費はかなり高くなっている。ちなみに、アメリカの一農場当たりの経営面積は一七九ha、

ＥＵは一六haである（共に二〇〇二年）。ただ北海道の経営面積は一九・三haで（**図12**）ＥＵを上回る。

また、畜産農家は一戸当たり六三頭の乳用牛、三四頭の肉用牛、一二九三頭の豚、各四万羽の採卵鶏、ブロイラーをそれぞれ飼養し、施設園芸（高級野菜、花き）と共にかなりの程度集約的な小企業経営が行なわれている（二〇〇七年）。とくに畜産農家の家畜飼養数は九〇年代以降かなり増大したが、近年では「自由化」攻勢、飼料価格の上昇によって経営事情は厳しい。たしかに農業の近代化は驚くほど進んだ。農林水産予算は二〇〇七年度で二・七兆円、一般会計にたいしては三・二％（二〇〇二年度は三・八％）を占めている。

とくに最近一〇年間のグローバル化、自由化時代に、従来一戸当たり一haの耕地が通常だった日本の農村では、十数〜数十haを機械で耕す農業経営者も出現し、平均耕地も著しく拡大した。ところがこの一〇年間に九九年の新基本法の理念をくつがえすような二つの大きな変化が農村に起こった。

一つは以前からの傾向だが、農村の高齢化が進行して、明日の農業の担い手の問題がクローズアップされてきたことである。

一九八五年には日本農村の基幹的農業従事者は三四六万人存在し、そのうち六八万人（二〇％）が六五歳以上の高齢者だった。一〇年後の一九九五年には基幹的従事者は二五五万人に減り、一〇二万人（四〇％）が高齢者となった。そして、それから一〇年後、二〇〇五年には基幹的従事者は二二四万人、減り方は少なくなったものの、高齢人口は一二九万人と、実に六割近くとなった（農水省『食料・農業・農村白書』平成一九年版）。中山間地では過疎化、高齢化、医療設備の不足に

図 13　新規就農者（年齢別）の経年変化

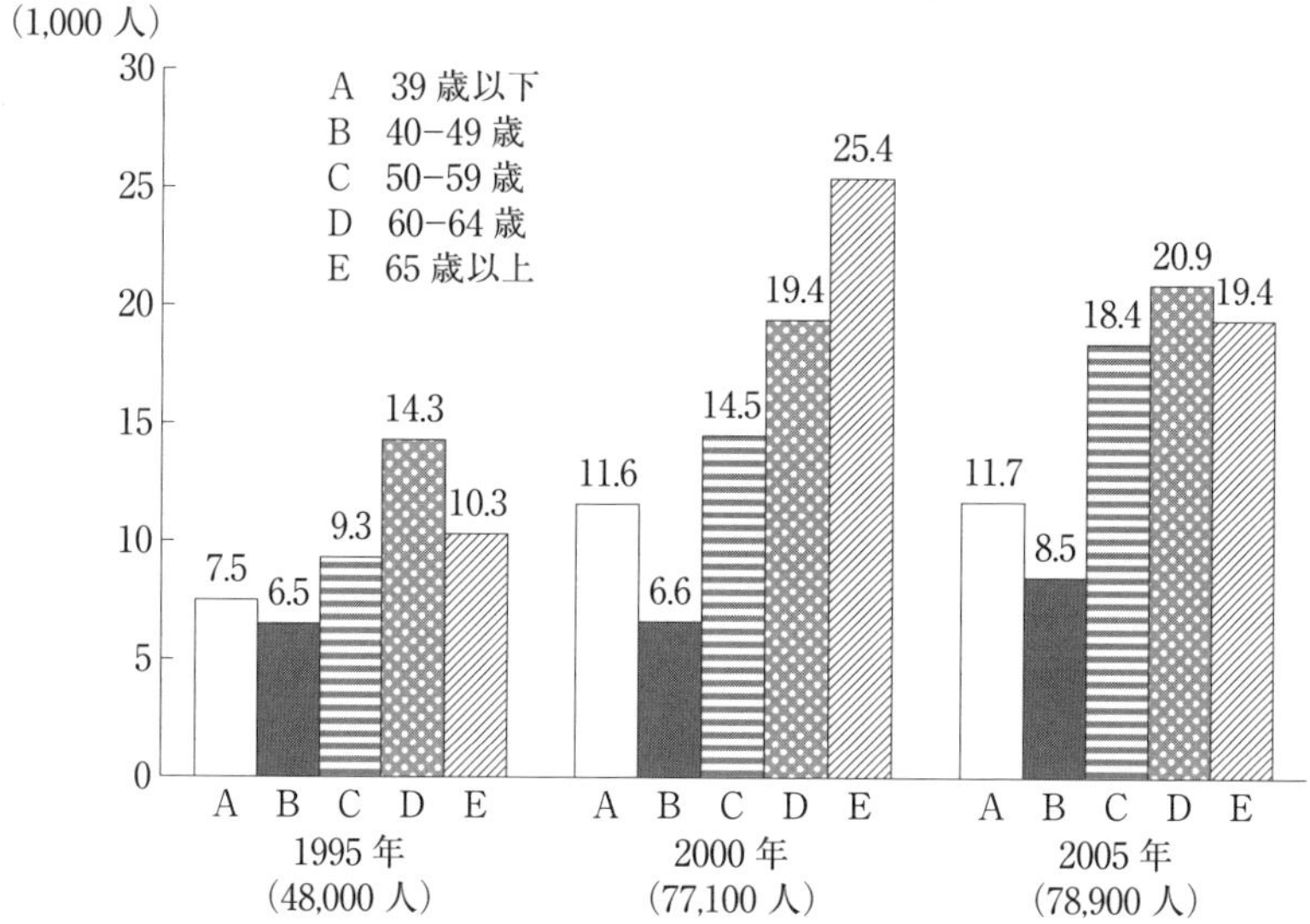

（出所）　農林水産省『食料・農業・農村白書』平成 19 年版，参考統計表，P. 53①より作成.

悩み、高齢者の自殺率が高いところも珍しくない。農村に人がいなければ、持続可能な農業や食料自給といった理念も絵に描いた餅にすぎず、実際、耕作放棄地はふえている。

新規就農人口の動向とその年齢別の内訳を一九九五年から二〇〇五年にかけてみると（**図13**）、この間就農人口が四万八〇〇〇人から二〇〇五年の七万八九〇〇人までふえていることは心強い。ただしその多くは団塊世代（第二次大戦後のベビーブームの時代に生まれた人）の人たちが退職の時期に故郷に帰るケースに該当するとみられる。だが、三九歳以下の青中年層で就農する人がこの間、七五〇〇人から一万一七〇〇人へとふえていることは、まだ少ないにせよ、心強い兆候である。

第二の大きな変化は、ここ一〇年ほど都

図 14　農業と製造業の世帯所得(1 日当たり)の動向

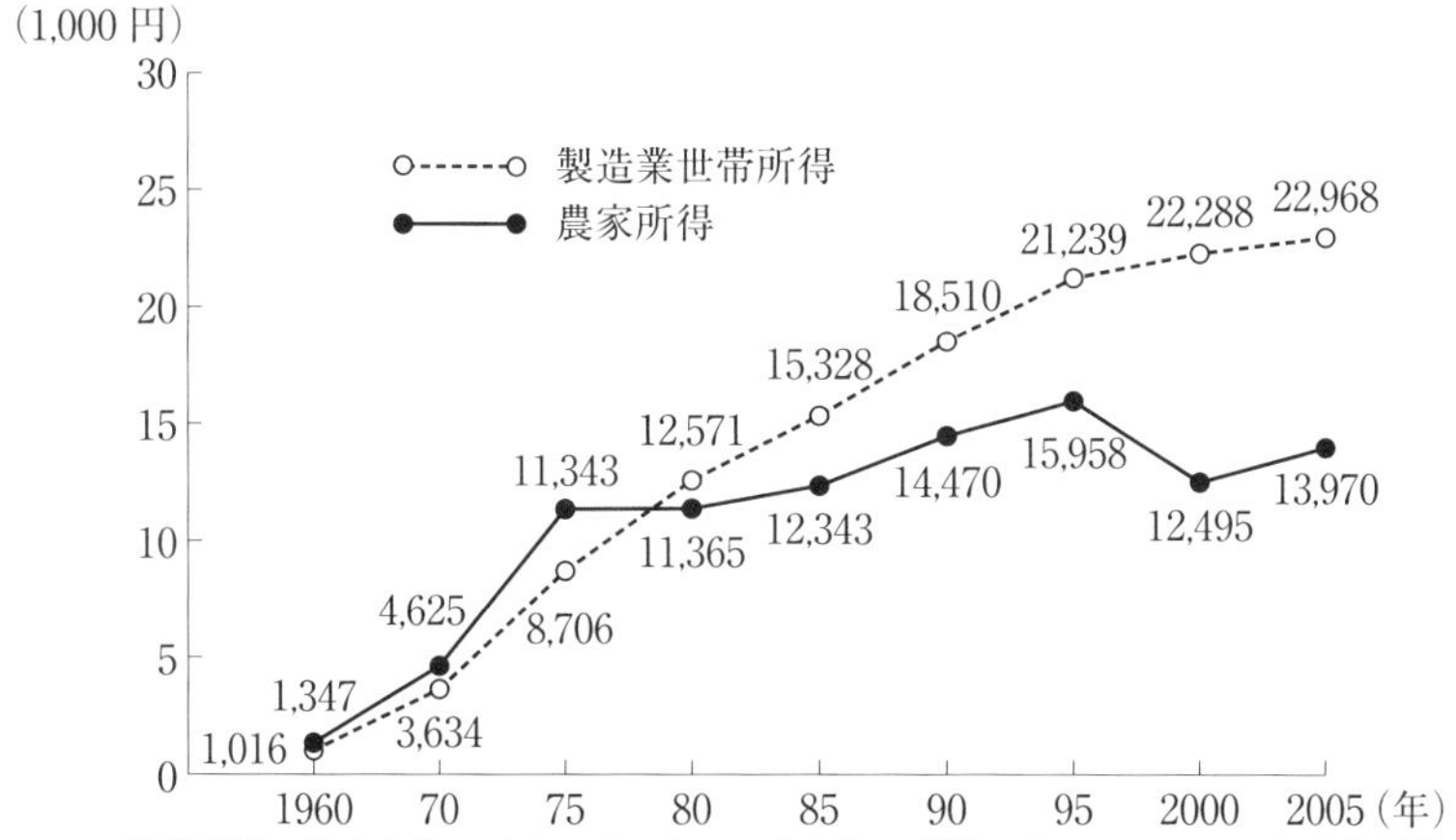

※　世帯所得の算出方法：原表では 1 人 1 日当たりの所得が出ている．これを世帯所得に換算するため，農家所得(全国平均)については，2000 年代の農家当たり従業者が 2.5 人なので，原表の 1 人 1 日当たり所得を 2.5 倍した。製造業の勤労者世帯(常用労働者 5 人以上)については，1 人 1 日当たり賃金を，配偶者のパート等による収入を勘案して，1.2 倍した．

(出所)　農林水産省『食料・農業・農村白書』平成 19 年版，参考統計表，p. 158②により作成．

市と農村の所得格差が拡大していることである。

農業と製造業の世帯所得の動向を**図 14** でみると、一九六〇～七〇年代の高度成長期をつうじて、農家(農業従事人口が二・五人以上)の所得は一貫して都市の勤労者世帯(勤労人口が一・二人以上)を上回っていた。しかし、一九七〇年代の末頃からこの傾向が逆転し、その後、一九九〇年代の半ば頃から都市と農村の所得格差は拡大の一途をたどっている。一九九〇年に農村一対都市一・二八であった所得格差は、二〇〇五年には一対一・六四とさらに拡大している。

農業は「二一世紀の戦略産業」(農水省白書)などといっても、このような工農格差を放置したのでは農村に明日はみえず、農業の後継者がいなくなるのも当然であろう。

二一世紀に入った今日、世界的な食料・

資源・燃料価格の高騰、食料安全保障の問題提起の中で農家は、自由化競争、とくに輸入加工食品との競争により、食料価格の引上げを思うがままにできない反面、肥料・燃料・飼料価格の上昇の中で一段と厳しい冬の時代に入っている。わたしたちが、日本の農業をもり立てなければならないとするならば、新農業法から一歩踏み出した農業・農村政策が必要になる。

新しい農業・農村発展の方向を考えるために、(1)農業・農村の後継者、担い手をどう育成するか、(2)都市と農村の所得格差をどう是正するか、の二点にしぼって議論を進めたい。

農業、農村での仕事に関心をもつ若者が少なくない。内閣府が行なっている「都市と農山村漁村の共生・対流に関する世論調査」によれば、二〇歳代の六割が、都市と農村の共生・対流という新しいライフスタイルに関心をもつと答え、さらに四割は「実現したい」、また三人に一人が「農山漁村に定住の願望がある」と答えている(農水省『食料・農業・農村白書』平成一九年版)。

だが、関心をもつ人は多いが、実際に農村へのアクセスの手段がわからない、仕事を始めようにも資金のあてがない、という人は多い。新規就農者へ農水省が行なった調査でも、八七%が自己資金(ダブル回答で四一%が就農支援等の制度資金)を利用したと答えている。

若者だけではない。女性の活動の場を保障しなければならない。女性はこれまでも日本の農業を担ってきた。だが、女性が、新農業法により特典を受けることができる認定農業者(二〇〇七年に二〇万人が認定され、農業経営について低利融資、基盤整備、土地流動化等について特別な措置の対象となる。農業者の半分を占める女性の認定は二・四%でしかない)や、新しい農村ダイナミズムをつくり始めている集落営農の代表者に選ばれることは少ない。

また、日本の農業を担っている労働力の中でも外国人研修生(農業分野で一万人、食品分野で一万人)もいまは最長一年、技能実習生となって最長二年で帰ることになっているが、日本のブラジル移民がブラジルで大豆産業などを振興させたのと同様に、外国人の農場参加や経営があってもおかしくはないだろう。

群馬県中之条町のJA沢田は、中国医学院と提携して、薬王園という名の薬草と漢方薬のテーマパークを経営し、年間数万人の入場者がある。高齢化時代に薬草という新しい商品を海外と提携して開発した例だが、地域社会を外国人に開くことによって、新しい知識、ノウハウ、市場を開いていく可能性は十分にある。だがそのためには、外国人労働者を使い捨ての労働力とみるのではなく、定住者として対等に遇し、かれらの熱意と協力を得ていくような制度的措置が必要である。しかも、先に示した青年層の考えかたのように、都市に住む人びとが農村に魅力を感じる現実がある。農村には農村のもつ豊かさ――自然や文化や人情味――が存在する。

若者、女性、外国人の共通点は、「資産がない」ということである。そのため、農村への受入れが難しいのだが、人材こそが資産であるという視点をもち、後継者づくりが農村の活性化のための大道であるという立場に立てば、これら社会層を農村に受入れていくことが農業の持続性の実現にもつながるといえる。

もう一つの論点である所得格差については、いまのグローバル化、国際化、市場経済化の中で、この傾向を逆転させることはなかなか難しい。

所得格差の逆転とはいわずとも、農村・地方における所得の向上のためには、いくつかの手段がある。

従来は、工場を大都市から地方に誘致するという手段がとられてきた。しかし、大企業が中国など途上国に工場を移転している現実からいえば、従来の手法に期待をつなぐことはできない(一九八〇年代からの農村所得の相対的低下は部分的にはこのことにもよる)。

現実的な方策は、第一に、農畜水産物の高付加価値化、輸出化を進めることである。これは一九八〇年代に大分県に発しその後、北海道、山形県等多くの地域に広まった一村一品運動がたどった道でもある。

一村一品運動は当時の米モノカルチュア農政にたいして、まず果実、蔬菜など生産物の多角化から始まり(「桃栗植えてハワイに行こう!」という草創期のスローガンに示されている)、次いで多角化した生産物の加工化を進め(焼酎、ジャム、ジュースなど)、そしてアンテナ・ショップや文化・芸術に根ざした個性的な町づくり(湯布院や美唄など)へと展開した。つまり、一次産業から二次産業、そして三次産業へと進展したわけで、これらを総合的に進めるという意味で、このような地域づくりを「六次産業化」(一次×二次×三次)と呼ぶ人もいる。だが、大事なことは、一村一品運動の提唱者である平松守彦氏(当時の大分県知事)が述べるように、これらの六次産業化をつうじて、これまで中央農政に振り回されてきた人たちが自らの主体性にめざめるということである。地域が、手さぐりしながら、独自の発展を推し進める中で、人材も育ってきたのである。グローバル化の今日、このような内発的発展の道は、実は日本ばかりではなく、アジア各地で広がってきている(西川潤編『アジアの内発的発展』藤原書店)。

また、近年アジア諸国の経済成長と共に、日本の良質の農産物が高値で売れるようになってきていることにも注目したい。わたしも中国や台湾、タイなどで日本のリンゴがたいへん珍重されるために、ときどきお土産にもっていくことがある。日本の米も最近では中国に出荷を始めているし、有機米は飛行機の中で高値で販売されている。

第二には、いま、耕地の八％が耕作放棄され、荒れ放題になっているが、こうした土地を農業法人、社会的企業、若者相手の農業塾などに安く貸与し、環境配慮型の循環農業、畜水産や観光と組合わせた複合経営、バイオマスや飼料穀物の栽培等を振興することが考えられる。第１章に示した世界的な飼料・燃料価格の上昇の中では、大豆、砂糖キビやメーズ等も採算に合ってくるだろう。

現在、日本の農村では、四つの農業再編の動きが進行している。一つは法人（農業法人や株式会社で二〇〇七年に二二〇〇に上る）の経営参入であり、中規模経営（数十 ha）の動因となっている。第二は、前述した「認定農業者」という名の中核農畜産経営体で、二〇〇六年現在で二二万人に上る。この経営体ではほぼ半分が、従来の稲作に加えて果樹、花き、施設や露地野菜、畜産、酪農等の複合経営にのりだしている。

第三は、ある一定地域内の農家が協力して営農体を形成する集落営農で、経費の削減、労働時間の減少、所得向上など、めだった成果があり（農水省『食料・農業・農村白書』平成一八年版）、二〇〇七年現在で一万二〇〇〇余にふえた。

第四に、有機農業、環境配慮型農業にたいする意識の高まりがめざましい。消費者の要望もあり、農家は肥料、農薬の使用を抑える傾向にあり、農業者の三分の二が堆肥による土づくりを行なっている。一九九四年の『食料〈新版〉』で描写したこの方向が現実化していることは、著者にとってもたいへんうれしいことである。有機農業物のJAS表示も二〇〇一年から発足した。農水省認定の「エコファーマー」の数は、二〇〇三〜〇七年の五年間に、二・六万人から一一・七万人へと約五倍にふえている。

従来、日本の農村では農協(JA)が唯一の組織で、生産資材の提供、技術指導、出荷信用、金融など、農村生活を取りしきってきたのだが、近年では農事法人、認定農業者、集落営農、エコファーマーなど、農協とは別のところで農業の革新、担い手の育成が進んでいる。その背景には次のような事情がある。

一つは、近年の農協活動が金融事業を中心とするようになっており、本来の非営利事業を忘れて、金融資産統合の観点から統廃合を進め、かつて三万余だった単位農協数が二〇〇七年に三二三九にまで減った。このような農協の「巨大化」が、地域社会のニーズに応えられなくなった。

第二には全農(全国農業協同組合連合会)という巨大流通組織は多投入型の農業奨励にあぐらをかいてきたために、農産物の貿的改善への努力を怠ってきた。また、全農の市場独占にたいし、価格やサービスの点で不満も高まっている(農水省『食料・農業・農村白書』平成一八年版)。二〇〇一年来、食品の不正表示や米の架空取引による米価維持の画策、補助金横領など多くの不正事件が明るみに出て、再編が課題となった。

第三は、政府の米管理と密着してきた統制的体質のために、農村・農業面での近代化、ニーズ、新規企業化に鈍感になっている事情がある。

もちろん、農協は資材提供から販売まで、日本の農村に不可欠の地位を確立してきたし、前述の農村における農事法人や組合起業も、しばしば農協組織を土台として立ち上げられた事情もある。しかし、農協は自らが現在の農業革新、再編の動因とはなり得ていない現実から出発して自らの活路を模索してほしい。

先に述べた農事法人、中核農、集落経営、エコファーマーはそれぞれ、農村の所得向上、都市・農村格差の縮小の動因となる動きだが、もう一つ大事なことがある。

それは、都市と農村の交流をつうじて、都市の人間と農村の人間が互いに刺激し合い、学び合い、相手の立場を理解し合うということである。

格差の拡大はしばしば相手の立場を考えない、経済や効率一辺倒の営利活動に発する。その意味では、都市で農業を行ない、農村で都市的な仕事を行なう相互乗り入れが、格差をなくしていくために、案外役立つのである。グリーン・ツーリズムや市民農園もその一助となるだろう。

いま、ヨーロッパでは「都市の地域形成」(City-Region Movement)という名で、都市と農村の循環型社会形成をつうじる連携の動きがある。都市は環境や緑の空間の大切さを学び、農村は都市の情報力や快適な生活をわがものにしていく。二〇〇八年から日本でも総務省が「定住自立圏」という名で、このような広域経済圏形成の後押しを始めた。

日本ではすでに地域社会の八五%が都市化(人口二万人以上の集落形成)している。快適な都市的生活も——大衆文化と共に——農村や地域にずいぶん浸透している。だが、下水設備やインターネットの設備など、まだまだ社会資本の整備が必要な地域もある。中山間地域への直接支払制度も悪いことではないが、住民自身の主体性、計画形成への参加が必要である。いま、地方でも活発になっているNPO活動を、集団営農や社会的起業の支援と組合わせて振興していくことも、重要な地域興し、都市・農村格差是正への手段となるだろう。

以上、大きな岐路に立つ日本農業の現状と問題をみたが、最後に農業・農村の見通しとわたしたちの食生活の関連について検討することにしたい。

第6章　飽食文化とわたしたちの生活

二〇〇五年に日本では食育基本法が国会で採択され、翌二〇〇六年には食育基本計画が定められた。このように、政府は「食育」を推進している。

ところで、食育とはなんだろうか。基本法によれば、この法律の趣旨は、近年における「国民の食生活をめぐる環境の変化に伴い、国民が生涯にわたって健全な心身を培い豊かな人間性をはぐくむための食育を推進する」ことにあると述べており、こういった目的のために食事にかんする教育や学習を進めることと理解できる。

なぜ、いまになって急に食育といいだすことになったのだろうか。この法律では、一方では①栄養バランスの偏った食品や不規則な食事がふえたこと、②肥満や生活習慣病の増加、③過度のダイエット志向など健康の悪化に関連する事情をあげ、他方では④「食」の海外への依存、⑤そこから起こる「食」の安全問題、といった食生活の対外依存の弊をあげ、⑥伝統ある食文化の喪失を防ぐために、⑦「食」を大切にする心を取戻す必要がある、と述べている。

健康悪化や食の安全問題への注意は誰も反対しない当然の正論だが、こうした問題が起こってきたのには、伝統的食文化をこわしていくような事情が国際的にも国内的にも存在した背景がある。その相関関係の分析を抜きにして「食」を大切にせよと誘っても、時計の針が元に戻るよう

表 13　平均寿命及び成人病死亡率の国際比較

	日　本	アメリカ	イギリス	フランス	スウェーデン
平均カロリー供給量(kcal/2003 年，日本は 2006 年)	2548	3754	3450	3623	3208
平均寿命(歳)	2006 年	2004 年	2004-5 年	2005 年	2006 年
男	79.0	75.2	76.6	76.8	78.5
女	85.8	80.4	81.0	83.8	82.8
成人病死亡率(10 万人当たり人)	2005 年	2000 年	2002 年	2000 年	2001 年
心疾患	137.2	242.5	249.0	174.2	—
脳血管疾患	105.2	59.4	113.2	65.0	112.1
悪性新生物	120.9	143.2	151	152.7	125.6
糖尿病(1995 年)	11.4	21.7	11.5	10.9	29.3
上記 4 疾患に高血圧を加えた成人病死亡率(1995 年)	460.4	569.7	716.9	516.6	726.7

(出所)『ポケット農林水産統計』平成 19 年版，9 ページ(3)；厚生統計協会『国民衛生の動向』2007 年版，56-57 ページ表 23，表 24，表 25；厚生労働省ホームページ，統計表.

なわけにはいかないだろう。

いま(二〇〇六年)、日本人の摂取する平均カロリー(供給量ベース)は二五〇〇キロカロリー台で二〇年前とほとんど変わらず、欧米諸国での三二〇〇〜三七〇〇キロカロリーとくらべて、三割程度少ない。カロリーベースでみると(**表13**)、日本人は日本の風土に適した水準を維持している。

他方で、カロリー水準は変わりないものの、日本人の食事はこの二十数年間に脂質の割合が著しくふえており(中国も同様、**図15**)、それが成人病多発(動物性脂肪の取りすぎは、血液中のコレステロール値を高め、動脈硬化の原因となる)の原因となっているとみられる。

日本と若干の欧米諸国における平均寿命、成人病死亡率を、さきの**表13**にまとめたが、心疾患(心筋梗塞等)、脳卒中、悪性新生物(がん)、糖尿病、高血圧といった代表的な成人病での死亡率は、日本の場合四六〇・四で欧米諸国(五一七〜七二

図 15　日本と諸外国の栄養素別供給熱量比率

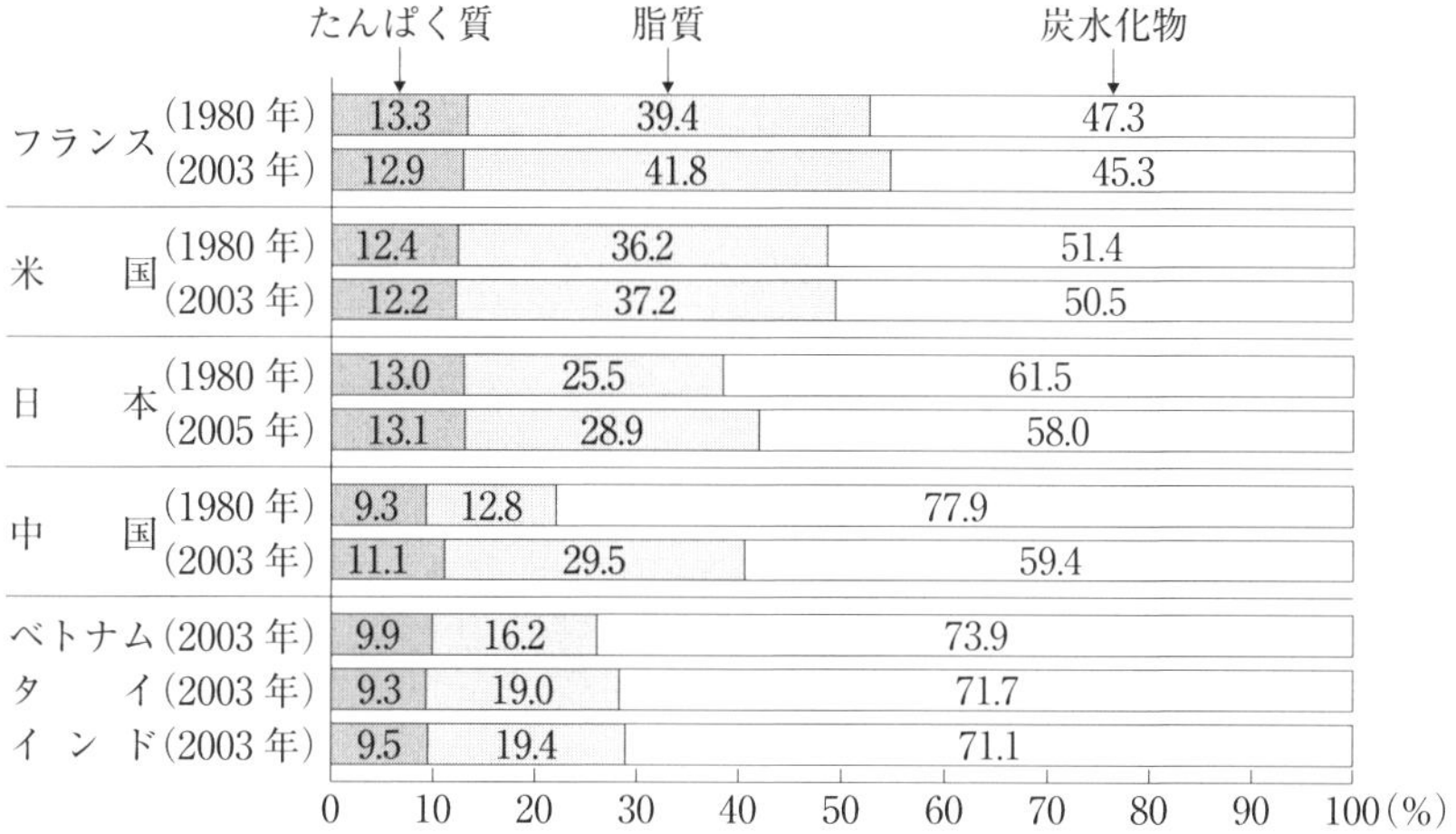

（出所）　農林水産省『食料・農業・農村白書』平成 19 年版，図 I-52.
（注）　供給熱量にアルコール飲料は含まない.

七）に接近しつつある。

最近よくいわれるメタボリック・シンドローム（内臓脂肪症候群のことで、体重を身長の二乗で割った数値が二五以上の場合「肥満」とみなされ、成人病が発症しやすいと考えられている）の増加も、この脂質分の取りすぎと関連しているだろう。

いうまでもなく食生活は個人の自由な選択の領域に属し、行政的な介入は望ましくないが、一人一日当たり二五〇〇キロカロリー前後の熱量でわたしたちはバラエティのある食事を三食腹いっぱい食べているのだから、たしかにこれ以上の熱量や栄養素の供給はかえって健康をそこなうことになりかねない。わたしたちの食生活の問題は、途上国における栄養不足・栄養失調問題とは異なり、飽和のそれに移行している。いま、日本における一人当たり穀物供給量は年二六二キログラム（日本人の米摂取量の四倍強）に及び（その七割が肉に転換されている）、やせるための美容産

図 16　日本：農業総産出額の推移

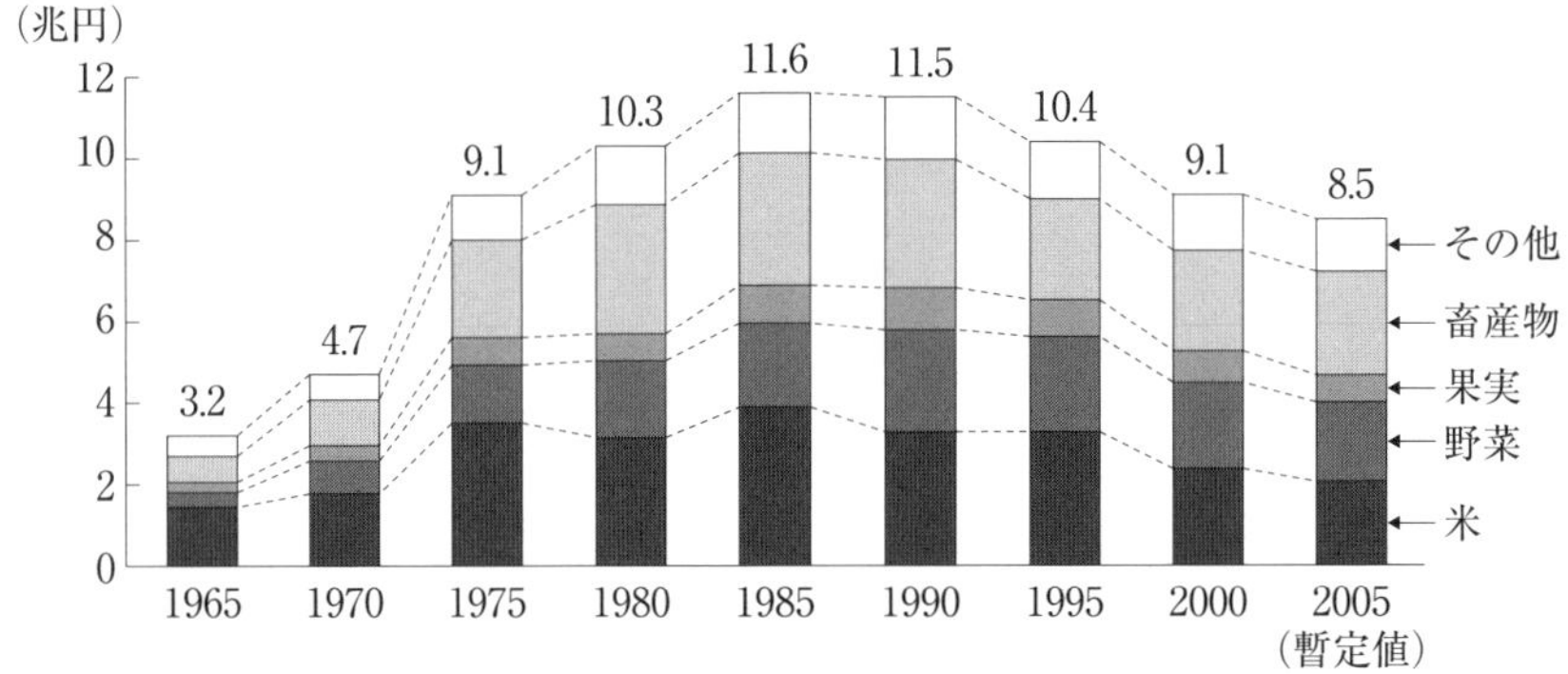

（出所）　農林水産省『食料・農業・農村白書』平成 19 年版，44 ページ，図Ⅰ-32.
（注）　グラフ中の数値は，農業総産出額の総額である.

業やジョギングが流行している。そして日本人に穀物を提供するために海外では日本の国内耕地の規模を上回る六〇〇万ha（輸入量二四〇〇万トンの生産性を一ha四トンとして）が利用されている勘定になる。このような飽食生活は、海外からの食品輸入によって支えられている。

日本の農業総産出額は、**図16**にみるように、一九八五年の一一・六兆円をピークとし年々下がっており、二〇〇五年には八・五兆円と、第一次石油ショックの頃の水準にまで下がっている。

だが、その反面、海外からの食料輸入は、果実、肉類、牛乳・乳製品、野菜など年々ふえ（**図17**）、二〇〇七年の農林水産輸入額は、国内生産額を抜いて、八兆円を上回っている（財務省「貿易統計」）。

わたしたちの食生活は近年ますます海外に依存しており、それが前述した自給率の低下となって現れている（**図18**）。

自給率には①穀物自給率（二〇〇五年で二八％）、②主食用穀物自給率（同六一％）、③総合食料自給率（同四〇

図 17　主な食料の品目別輸入率の推移

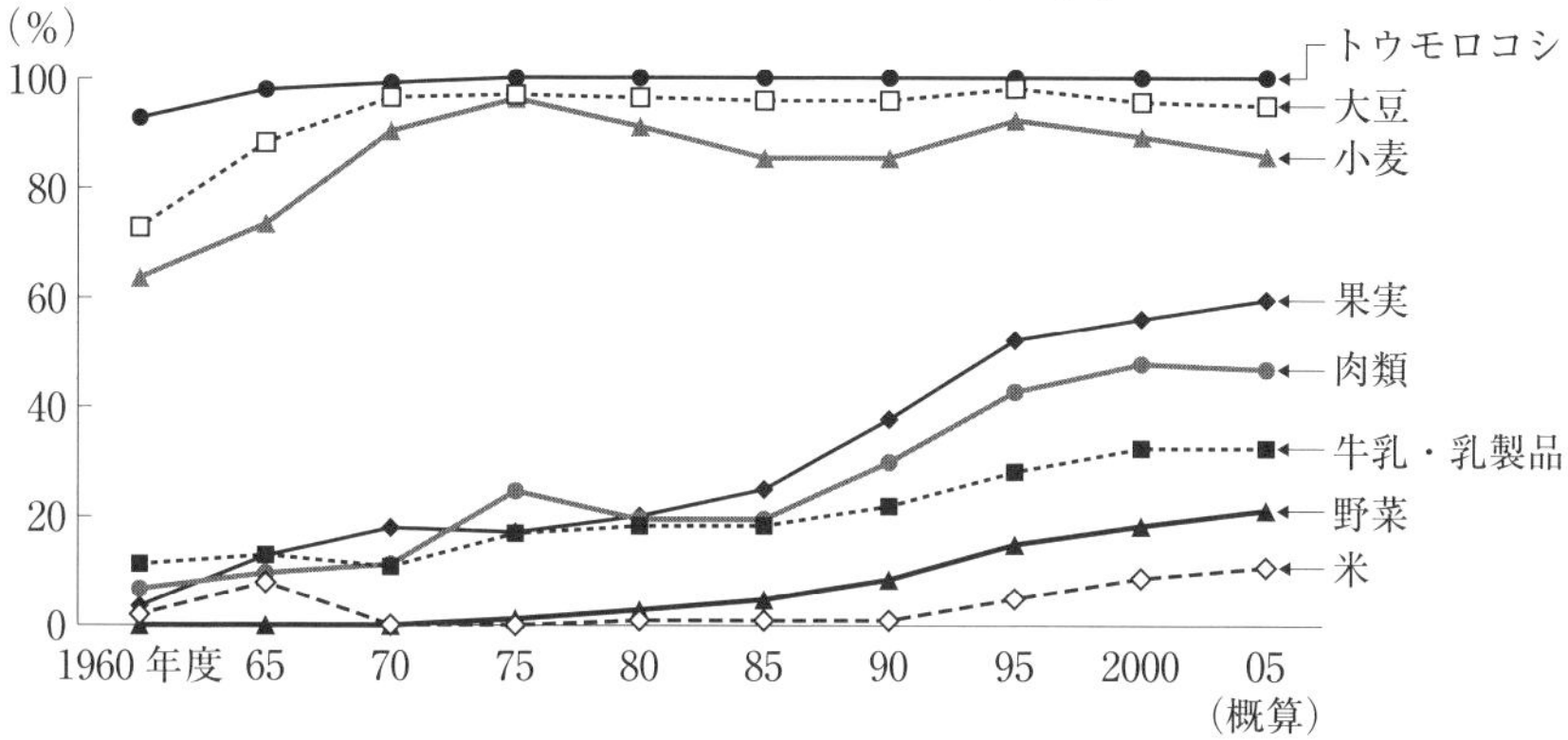

(出所)　農林水産省『食料・農業・農村白書』平成 19 年版，30 ページ，図Ⅱ-12.
(注 1)　輸入率＝輸入量／(国内生産量＋輸入量)×100.
(注 2)　輸入量については，生鮮換算等された数値である.

%)の主立った三つの概念がある、穀物自給率は圧倒的に海外に依存している飼料穀物を含み、主食用穀物自給率は果実、野菜、肉類等、海外依存度の高まっている食料を含まないので、いずれも偏りがある。普通は、供給熱量ベースで計る総合食料自給率で議論が行なわれている。一九九九年の新農業法施行以降も、この総合食料自給率の低下が続いていることがわかる(他の自給率も同様)。

このように考えると、本章の冒頭にみたような食育政策が、食生活の改善、地産地消、日本型食生活の復権等、いろいろなスローガンを掲げながらも、実は、食料自給率の向上を目的としていることが知られる。

ところが、政府は片面で貿易自由化を推進しており、第5章で述べた多国籍企業や日本企業の海外での生産や、OEM(自社ブランドの注文生産)商品の輸入が増大してているのである。

そしてこのことは、近年における食品・外食産業

図 18　日本の食料自給率の推移（1965-2005）

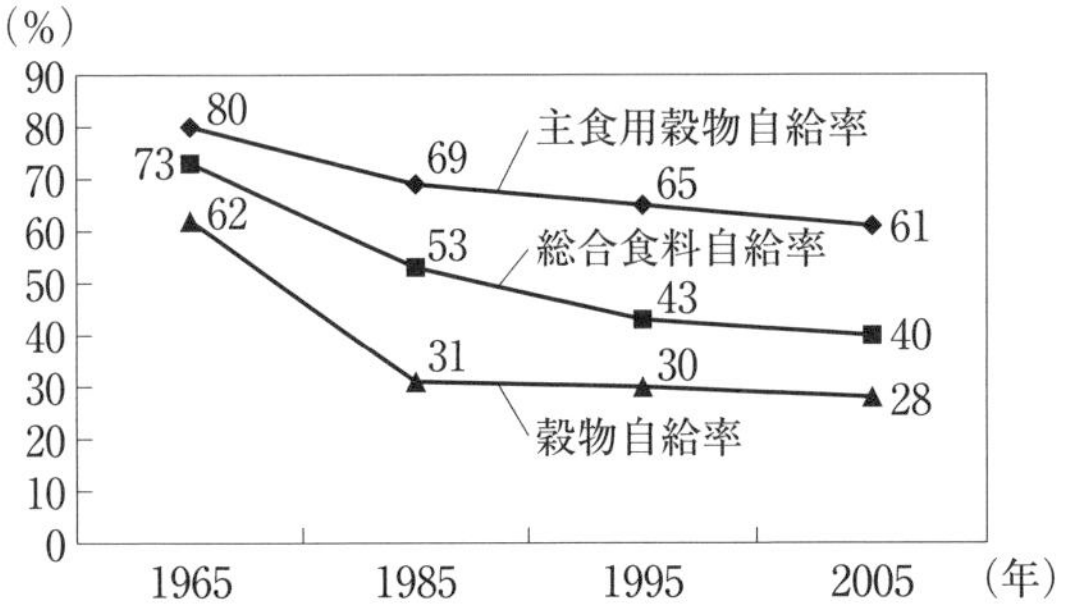

（出所）農林水産省『食料・農業・農村白書』平成 19 年版，参考統計表，27 ページ，(3)-2，P. 28 ページ，(3)-3 より作成．

参考：総合食料自給率　(%)

	1965 年	2002 年
フランス	109	130
アメリカ	117	119
ドイツ	66	91
イギリス	45	74

の比重増大と結びついている。

まず、わたしたちの食生活に占める食品・外食産業の比重増大について述べる。

一九六〇年に農業の総生産額と食品工業の出荷額は同じ程度だったが、いまでは（二〇〇五年）食品工業出荷額は農林漁業総生産額（一六兆円）の約二〇倍近い三〇〇兆円に達している。非農家家計に占める加工食品の比率は一九八〇年の三三％から二〇〇五年には四九％に高まっている。

外食産業販売額の伸びも大きく、日本の非農家世帯で食料費支出に占める外食費の割合は、六五年の七・四％から二〇〇五年には二〇％へと高まった。いま、外食産業の売上げは年二五兆円の規模に及んでいる。弁当店などのファスト・フード店、ファミリー・レストランもすっかり日本人の食生活に定着した。わたしたちの食料費の半分は食品工業・飲食店に向けられるようになっているのだ（**図 19**）。

所得の増加に伴い、加工食品の購入や外食がふえるのは当然のことであるし、共働き家庭の増加とともに「食の外部化」「利便化」はますます追求されるようになる。だが、このことがそのまま輸入農畜水産物依存を導いているし、それが第4章で述べた食の多国籍企業支配と裏腹の現象であることは思い起こしてよいことである。

第一には、農産物輸入額に占める加工食品の比率は、一九九五年の三一%から二〇〇五年には三八%と高まっている（農水省『食料・農業・農村白書』平成一九年版）。

図 19　外食産業の市場規模と食の外部化率*

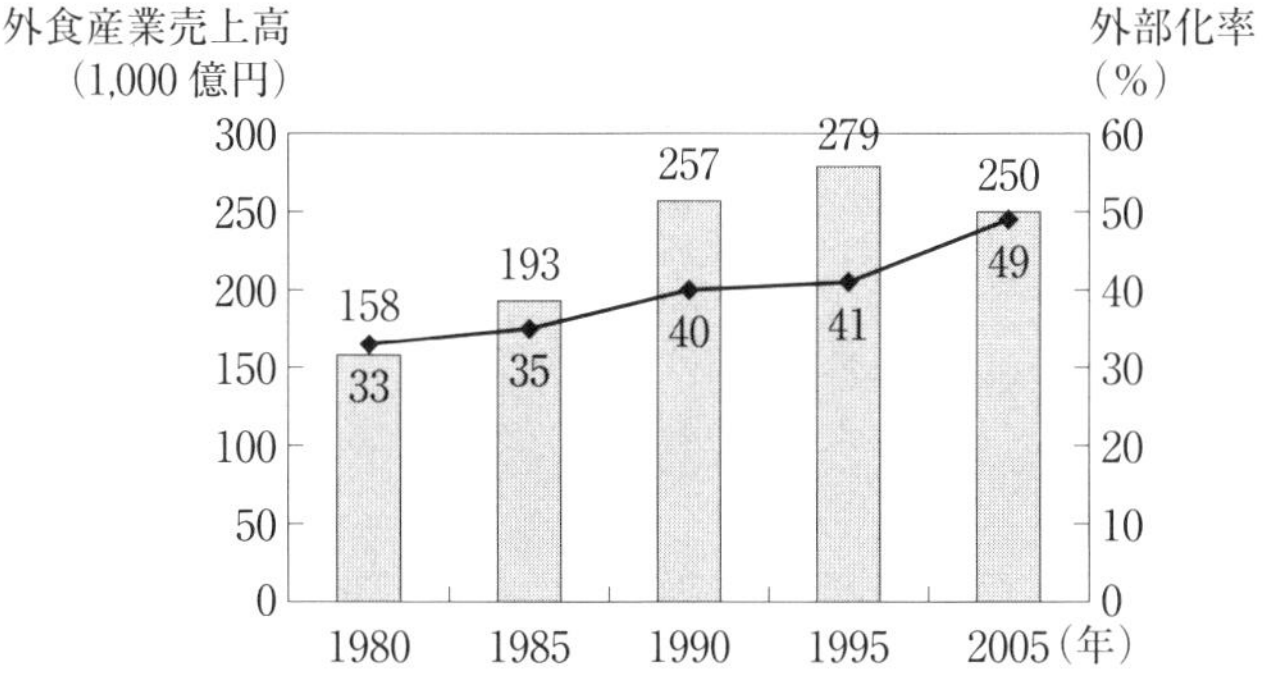

※　食の外部化率とは，家計の食料支出に占める菓子類，調理食品，外食費等の計の比率.

（出所）　農林水産省『食料・農業・農村白書』平成 19 年版，P. 451，6-(12)及び，P. 466，(3)より作成.

第二には、国産品でも、加工食品は輸入原料を使用する比率が高く、その比率が高まる傾向にある。**図 20**で、加工食品、外食での原料使用における国産・輸入の内訳を示した。一九九五年に加工食品工業では輸入原料を（原料総額にたいし）四八%使っていたが、二〇〇五年にはその比率が五五%と高くなっている（同じ時期、外食産業も一二%から一九%に）。

このような海外原料への食生活依存には、食料供給、価格変動、環境劣化、食の安全性など、冒頭にみたようないくつかのリスクがある。

このようなリスクを考えると、加工食品や輸入食品を止めよとまではいわないが、少なくとも消費者がこれらのリスクを念頭に置き、食生活を主体的に営む必要があるとはいえよう。

図 20　加工食品，外食での国産・輸入別原料使用比

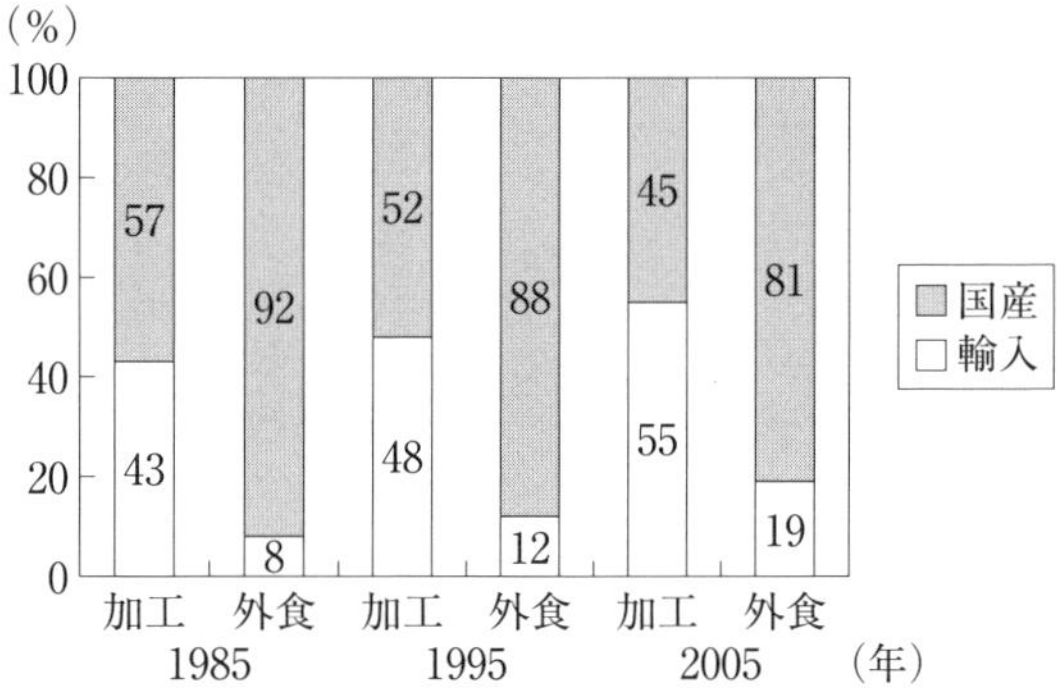

（出所）　農林水産省『食料・農業・農村白書』平成 19 年版，参考統計表，P. 25，②.

この国の政府は、一方では国際的に自由貿易を進め、他方では「日本型食生活」を鼓吹している。その矛盾がただちに現れている。食の安全保障や農村景観を重視し、そのため伝統型食生活や地産地消を進めること自体はだいじなことである。それは、大量生産大量消費時代にわたしたちの食生活の選択肢をふやしていくことに間違いなくつながる。

だが、本当に地産地消を推進するのであれば、ＰＲ的、断片的に「食育」を掲げるのではなく、第5章でみたように、二〇〇〇年から施行されている地方分権一括法等を実体化する地域経済振興の一環として推進されるべきであろう。

ここでわたしたちの生活と世界の林業・水産業の関係について一言述べておきたい。

今日、日本人は毎年九〇〇〇万立方メートルの木材を消費しており、その約四分の一が輸入財で、丸太、製材用や加工用、合板用の木材、木材チップ等から成る。建築、道路、合板、製紙用パルプ等これら木材はわたしたちの生活になくてはならない。

日本の国土の四分の三は森林であり、この森林によって豊富な水資源が貯蔵され、洪水が調節され、土壌の侵食や崩壊が防がれ、美しい国土が保全されている。

ところが世界的にみると、冒頭にみたように毎年、莫大な森林が失われている。アフリカで毎年のように起こる旱ばつ、洪水はこのような森林の喪失、砂漠化と無縁ではないし、それがこの地域の食料の対外依存度を年々高めることになっている。二〇〇〇年代に入ると、ブラジル（年三一〇万haの喪失）、インドネシア（同一八七万haの喪失）、ミャンマー（同四七万haの喪失）等で森林減少が目立っている。

だが森林減少の目立つのがみな途上国であるのはどうしてだろうか。対外依存度が高い国ほど、経済は依然として植民地状態にあり、自己の公的資本ストックの破壊に無関心であるようにみえる。こうして、対外依存度の高い国ほど森林ストック、水資源をなくしていく悪循環が進行している。それがまた、地球の生態系悪化を加速化する。

森林資源の消失はしたがって、わたしたちの生活のあり方とけっして無縁ではないし、それだけにわたしたちは資源のリサイクルや、浪費的生活の見直しに注意しなければならないだろう。

もう一つ、水産業についてみておくことにしよう。日本人は世界でも有数の魚好きの国民だといわれる。ところが、近年世界の漁獲高は頭打ちで、日本の漁獲高は減ってきている。

魚もまた、資源稀少化の時代に入るようになった。

世界の漁業・養殖業の生産量は一九六〇年には四〇〇〇万トン、一九八〇年には六六〇〇万トンだったが、この頃から漁獲高の逓減が目立ち、養殖業生産がふえてきている。

一九九〇年代以降は、漁業生産は九〇〇〇万トン台でもはやふえていない（**図21**）。総漁獲量は二〇〇五年の時点で一億六〇〇〇万トン近いが、この増加分はほとんど養殖業生産

図21　世界の水産量(2001-2005年)

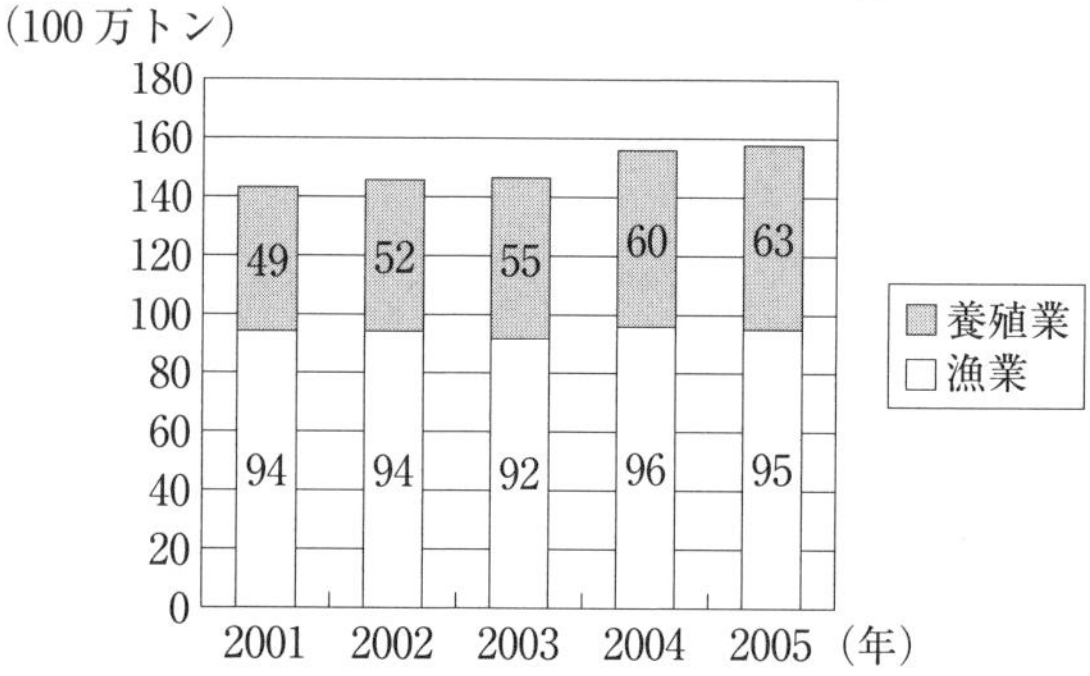

(出所)　水産庁編『水産白書』平成19年版，Ⅱ-2表.

による増加分である。

日本の漁獲高は、一九八四年の一二八二万トンをピークとして、二〇〇五年には五八〇万トンと最盛期の半分以下に減り、その二割強が養殖生産である(**図22**)。国内消費は七八二万トン(二〇〇五年)、輸入量は約八〇〇万トンで、自給率はほぼ五〇%となっている。

ところが、世界的に水産物需要はふえており、二〇〇〇年前後に一人一年当たり一六キログラム食べていた水産物需要が(日本人は三六キログラムで、二〇〇五年は三四キログラム)、FAOによれば、二〇一五年には一人一年当たり一九キログラムにふえ、総需要量は一億八三〇〇トンにふえると予測されている(水産庁『水産白書』平成一九年版)。『水産白書』は「水産物奪い合いの時代」が到来することに警鐘を鳴らしている。

世界的な漁獲頭打ちの状況からは次の二つが読みとれる(C・クローバー『飽食の海』脇山真木訳、岩波書店)。

第一は、特定魚、とくに大型魚(太平洋、大西洋のホンマグロ、北海のタラやハドック等)が近年の衛星テクノロジーを利用した電子レーダー、センサー、音響測深機などとトロール網、まき網の連動によって組織的に乱獲され、それと共に膨大な数の雑魚も捕獲され(FAOによれば、漁獲量の三分の一に及ぶ二七〇〇万トン)、無駄に殺されたり、養殖魚の飼料(フィッシュ・ミール)に回されたりしている。

そのため、日本も提案国となって、マグロ類の保存委員会が主要水域で発足し、漁獲枠の設定や小型魚漁獲規制をとり決めているが、資源回復には至っていない。FAO調査によれば、世界の魚類資源の二七%が枯渇、または過開発の状態にあり、四七%が高開発状態にあり(つまり四分の三が持続的生産ができなくなっている)、中・低開発漁獲は四分の一しかない(FAO『世界農業予測:二〇一五~二〇三〇年』前編)。

図22　日本の水産業生産量の推移

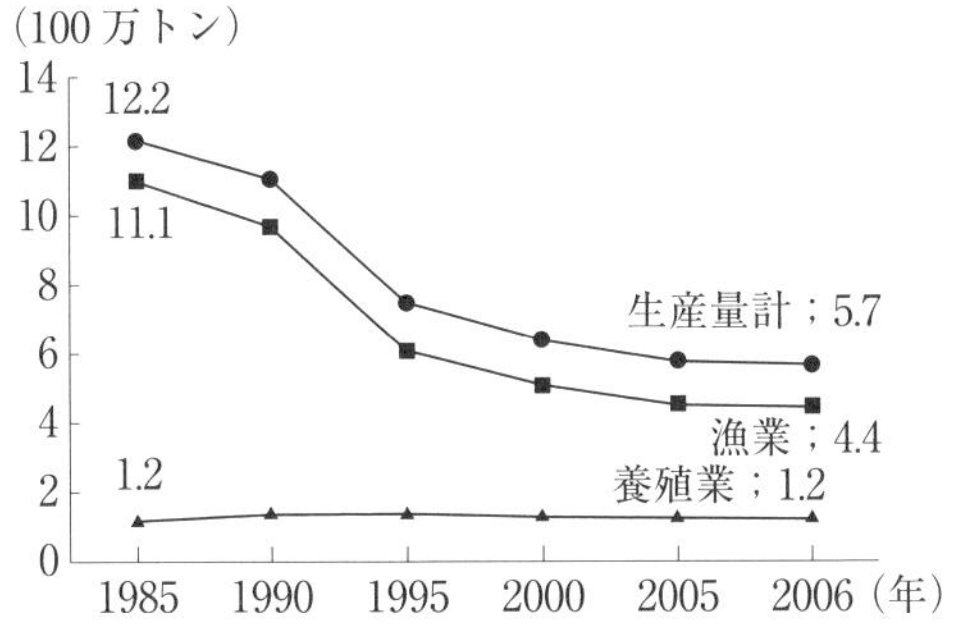

(出所)　農林水産省『ポケット農林水産統計』2007年版，402ページ，Ⅲ-1表より．

第二は、養殖漁業の生産が増大するに伴い、沿岸の小型魚が(イワシ、イカナゴ等)がフィッシュ・ミール用に乱獲されるようになった。この大型船の沿岸進出に伴い、世界各地で中小漁民が大打撃を受けている。水産業「先進」国の大型船は大型回遊魚を捕獲し、そして沿岸の小型魚も一網打尽に捕らえていくので、ますます漁民は魚を捕獲することができなくなり、苦境に陥っている。日本のマイワシは八〇年代の四〇〇万トンから二〇〇六年には五万トンに激減してしまった。東南アジアでは海岸のマングローブ林が伐採され、日本むけの養殖エビ池に転換されることにより、小型魚が捕れなくなった一方で、沖合いからは遠洋漁業船の進出、採補により、陸と海からのはさみうちに合い、その結果、さんご礁区域でのダイナマイト漁法など環境破壊によって、わずかな漁獲でその日をしのぐ漁民がふえてきている。

この情景を「貧者から盗んで、金持ちの食卓にぎわう」と喝破したジャーナリストもいたが(C・クローバー)、いまの漁業は、沖合いでも沿岸でも持続可能ではなくなっている。

さらに養殖漁業はしばしば魚介類を、殺菌剤、抗生物質などで薬漬けにしている。こうした化学物質漬けのマグロ、エビ、タイ、ハマチ(成魚はブリ)等をわたしたちは食べるようになっている。これら高級魚を一キログラムふやすには一〇キログラム前後のイワシが必要であり、養殖漁業が資源乱獲を促している(養殖が水産減獲の対策にならないことは、池田八郎『世界の漁場でなにが起きているか』成山堂書店、により指摘されている)。

これらの条件を考えれば、水産庁は「漁業資源管理」という高度成長時代の政策に依然として固執しているが、さらに進んで資源回復の一層の努力、海洋保護区の設定(ニュージーランド等で行なっている)、沿岸水域の再生、生物多様性の回復など、本来の「豊かな海」の記憶をわたしたちによみがえらせる、想像力に富んだ政策こそがいま必要だろう。

「水産物奪い合いの時代」に「日本の買い負け」(『水産白書』)をくやしがっている場合ではない。世界の海洋再生に貢献していくことこそが、かつての世界第一の水産国日本の責任でなければならない。そうでないと、二〇〇五〜〇六年に日本海に大量発生したエチゼンクラゲは「魚のいない海」をわたしたちに告知する前兆ということになろう。

むすびに

二一世紀初めの世界農業における最大の変化は、グローバリゼーションによる輸出商品耕作の進展、自給・中小農業の破壊、そして森林破壊等の環境劣化である。

第4章で詳述したように、多国籍アグリビジネス、食品企業の食料経済支配力が強化されている。それと共に、世界的に、富者と貧者、都市と農村、そして人間と家畜、人間と自動車等、食料・資源・水などをいかに分配するかという争いが導かれている。

それは、農産物の国際ガバナンスを討議するWTOの場でもみられる。そこで現れているのは、しばしば言われているような、自由貿易か保護貿易か、という問題ではない。

世界最大の農業保護国で、かつアグリビジネスの支配力の大きいアメリカが、中小農業が多く農業保護の強いEU、そして日本等の消費国の農産物市場を開放させ、アグリビジネスによる世界市場の支配、グローバリゼーションを進めるべくしかけたのが、ドーハ・ラウンドである。

そこでは、アメリカ、EU、そして中小規模の農産物輸出国のケアンズ・グループ（オーストラリア、カナダ、ニュージーランドと、アルゼンチン、タイ等の途上国）、また日本、スイス、台湾、韓国等、輸入国から成るG10、また中国、インド等を含む有力途上国のG20等の諸グループが、それぞれ自己の利害を主張している。そして、相互の妥協の産物として、主要農産物を、国内保護をはずす黄、やがては保護をはずされていく青、そして保護を維持していく緑の三つの箱《ボックス》に分けるところまで交渉は進んだ。日本も、黄ボックスについての支持削減を始め、最終的には現在の保護水準の三分の二まで削減することを約束している。

だが、その時点でドーハ・ラウンドは、一方では世界の市民社会諸団体による批判により、他方では南北対立により、行きづまった。代わって、日本等は、アジア太平洋の場での自由貿易協定(FTA、途上国の側の提案により、たんに自由貿易にとどまらず、総合的な経済連携をはかる経済連携協定＝EPAへと名称変更)を進め、自由貿易による経済成長の継続を意図している。

だが重要なことは、今日の多国籍企業主導型のグローバリゼーションの下で、人間の生命、健康の根幹を支える農業、林業、畜産業、水産業のいずれもが持続可能ではなくなっていることだ。シェイクスピアの劇に「強者が弱者を飲みこむのは、海も人間世界も同じ」というせりふがある(『ペリクリーズ』、訳は引用者による)。だが、人間世界の弱肉強食と海のそれが根本的に違うのは、海では大魚が小魚を食べる食物連鎖が生態系を維持しているのにたいし、グローバリゼーションの弱肉強食は、生態系の連鎖をこわすことによって、世界の持続可能性の展望を危うくしていることである。

このような状況は、わたしたちが、巨大多国籍ビジネスによる大量生産・大量消費型の「食文化」を他律的に甘受していることによって支えられている。その意味では、わたしたちが自らの食生活を主体的に見直していくことが肝心だろう。

日本の農業は従来、「ばらまき農政」によって支えられてきた。だが、政府の赤字財政常態化、世界的な農水産物価格の再調整のときに、このような保護農政は百害あって一利もない。「構造改善」という名の土建工事が、いかに農村(そして人びとの精神的自立)を破壊してきたか。そして効率優先の新農政がいかに全国で借金漬けの経営を拡大してきたか。農業での弱肉強食という新たな問題のもちこみは、少数の富裕層と多数の貧困層というアメリカ型の階層対立を日本内部で再生産することにほかならない。

世界の貧困や飢えは グローバリゼーションの下で進められているので、貧困や飢えだけをみていても抜本的な解決にはつながらない（拙著『データブック　貧困』）。経済社会の全般的発展の一環として、飢えや貧困を解決する視点に立たなければならない（緊急援助は当然としても）。だいじなことは、貧困層の自治権、発展権を認め、その経済社会発展を支持することである。

本書は食料価格の騰貴から叙述を始めた。しかし世界でも、そして日本でも、農業、食料における根本問題は、けっして価格上昇の問題ではない。食料不足の問題でもない。これらは、問題の結果として生じた現象にほかならない。根本問題は、第５、６章で述べたような、農・畜・水産業が営利性、効率性の下に持続可能性を失っているという問題なのである。

わたしたちは、人間が自然を支配したり操作したりできるという傲慢さに安住してきたのかもしれない。人間が自然の一部であり、自然と共生することこそが人間にとっての本来の生き方であるという真理にめざめるとき、二一世紀の地球社会には、いままっしぐらにわたしたちが走っている破滅の道とは異なる展望が開けてくるに違いない。

このような「もうひとつの」二一世紀社会のあり方、展望を、読者と共に考えること――これが『データブック　貧困』『データブック　人口』『データブック　食料』という三部作を新たに刊行した目的である。

西川 潤

早稲田大学名誉教授．専門は国際経済学．1936年，台湾台北市生まれ．1959年，早稲田大学第一政治経済学部卒業．1966年，パリ大学高等学術研究院卒業．1968年，早稲田大学大学院経済学研究科博士課程修了．早稲田大学政治経済学部教授等を経て現職．これまで，国連研修所(ニューヨーク)，ラサール大学(マニラ)，パリ第一大学，フランス社会科学高等研究院，北京大学，チュラロンコーン大学(タイ)，パリ国立政治学院，ポートランド州立大学等の客員教授を歴任．著書に，『世界経済入門 第3版』(岩波新書)，『人間のための経済学――開発と貧困を考える』(岩波書店)，『東アジア共同体の構築 第3巻 国際移動と社会変容』(共編，岩波書店)，『仏教・開発・NGO』(共編著，新評論)，『アジアの内発的発展』(編著，藤原書店)など多数．

データブック 食料　　岩波ブックレット 737

2008年8月6日　第1刷発行
2011年6月15日　第3刷発行

著 者　西川《にしかわ》 潤《じゅん》

発行者　山口昭男

発行所　株式会社 岩波書店
〒101-8002 東京都千代田区一ツ橋 2-5-5
電話案内 03-5210-4000　販売部 03-5210-4111
ブックレット編集部 03-5210-4069
http://www.iwanami.co.jp/hensyu/booklet/

印刷・製本　法令印刷　　装丁　副田高行

ISBN 978-4-00-009437-5　　Printed in Japan

「岩波ブックレット」刊行のことば

今日、われわれをとりまく状況は急激な変化を重ね、しかも時代の潮流は決して良い方向にむかおうとはしていません。今世紀を生き抜いてきた中・高年の人々にとって、次の時代をになう若い人々にとって、また、これから生まれてくる子どもたちにとって、現代社会の基本的問題は、日常の生活と深くかかわり、同時に、人類が生存する地球社会そのものの命運を決定しかねない要因をはらんでいます。

十五世紀中葉に発明された近代印刷術は、それ以後の歴史を通じて「活字」が持つ力を最大限に発揮してきました。人々は「活字」によって文化を共有し、とりわけ変革期にあっては、「活字」は一つの社会的力となって、情報を伝達し、人々の主張を社会共通のものとし、各時代の思想形成に大きな役割を果してきました。

現在、われわれは多種多様な情報を享受しています。しかし、それにもかかわらず、文明の危機的様相は深まり、「活字」が歴史的に果してきた本来の機能もまた衰弱しています。今、われわれは「出版」を業とする立場に立って、今日の課題に対処し、「活字」が持つ力の原点にたちかえって、この小冊子のシリーズ「岩波ブックレット」を刊行します。

長期化した経済不況と市民生活、教育の場の荒廃と理念の喪失、核兵器の異常な発達の前に人類が迫られている新たな選択、文明の進展にともなって見なおされるべき自然と人間の関係、積極的な未来への展望等々、現代人が当面する課題は数多く存在します。正確な情報とその分析、明確な主張を端的に伝え、解決のための見通しを読者と共に持ち、歴史の正しい方向づけをはかることを、このシリーズは基本の目的とします。

読者の皆様が、市民として、学生として、またグループで、この小冊子を活用されるように、願ってやみません。（一九八二年四月　創刊にあたって）

◇岩波ブックレットから

9784000094375
1920336006004
ISBN978-4-00-009437-5
C0336 ¥600E
定価（本体600円＋税）

食料価格の高騰、食の安全意識の高まり、深刻化する飢餓――世界の、日本の「食」をめぐる環境が大きく変わりつつある。その要因は何なのか？　これからどうなっていくのか？　最新のデータをもとに解説する。

岩波書店